Diccionario de Temas de literatura española

Pilar González de Mendoza

Diccionario de Temas de literatura española

Pilar González de Mendoza Mera

**Colección
Fundamentos 108**

**Madrid
Istmo**

Diseño de cubierta:
Vicente A. Serrano

© Pilar González de Mendoza, 1990
© *Ediciones Istmo, S. A.,* para España y todos los países de
lengua castellana.
Calle Colombia, 18. 28016 Madrid
ISBN: 84-7090-222-9
Depósito legal: M. 28910-1990
Impreso por Lavel. Los Llanos, nave 6. Humanes (Madrid)
Printed in Spain

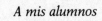

A mis alumnos

NOTA DE LA AUTORA

La Literatura española ofrece al lector de hoy una variedad inmensa no sólo por su extensión, sino por su riqueza. Personajes inolvidables, y otros menos conocidos, desfilan por sus páginas, nos aproximan al modo de ser y de sentir de una época, a veces remota y otras muy cercana. El autor plasma en su obra el modo en que conciben la vida sus contemporáneos, describiendo la realidad o idealizándola. Refleja las preocupaciones, observa los comportamientos sociales, satiriza los vicios, sondea la intimidad, penetra el secreto de las relaciones humanas; en último término, manifiesta los deseos y aspiraciones de los hombres que, más allá de las diferencias marcadas por la distancia en el tiempo, coinciden en lo esencial; por ello, los autores de todas las épocas inciden una y otra vez en determinados temas, aportando enfoques y puntos de vista particulares, pero que permiten al estudioso o curioso tener una visión perspectivista de los hechos, fenómenos, ideas o sentimientos.

La finalidad de este libro no es otra sino la de facilitar la tarea del que desee profundizar en algún tema, desde los orígenes de la historia de la literatura española hasta nuestros días, proporcionándole las referencias bibliográficas correspondientes.

La selección de obras para cada tema tiene, indudablemente, un componente subjetivo; incluir unos textos referentes a ciertos aspectos supone un lector que elige entre múltiples posibilidades aquellas muestras que le parecen más oportunas, pero que no cierran, en ningún momento, la incorporación de otras mu-

11

chas. Por otro lado, no todas las obras reseñadas son igualmente conocidas ni tienen el mismo valor estético, pero se adjuntan por lo que pueden aportar a una visión de conjunto.

Siempre que ha sido posible se indican los estudios que complementan o iluminan el análisis de las obras.

Al final del libro, una lista alfabética de autores, cuyas obras son citadas en los diferentes temas, facilitará eventualmente la investigación a partir de un autor concreto.

1. ADULTERIO

La violación de la fidelidad conyugal ha despertado el interés de los escritores por lo que tiene de conflicto, ya que permite presentar situaciones personales de íntimo desgarramiento y mostrar, a la vez, las convenciones sociales y morales, permisivas con el hombre e intransigentes con la mujer.

En los dramas de honor del siglo XVII el motivo desencadenante de la acción era la sospecha, a veces infundada, del quebrantamiento del deber matrimonial de fidelidad de la mujer. Así, el adulterio de Beatriz, enamorada de un Comendador, provoca la venganza de Fernán Alonso en *Los Comendadores de Córdoba* (1604) de LOPE DE VEGA, y en *El castigo sin venganza* (1631), Casandra comete adulterio —e incesto— con el hijo de su marido, duque de Ferrara; la muerte de ella a manos del marido y de él por los criados es el justo castigo. Con desenfado, MIGUEL DE CERVANTES compone el entremés *La cueva de Salamanca* (antes de 1612), en el que Leonarda aprovecha la ausencia de su marido Pancracio para recibir en su casa a varios amantes, un estudiante, un sacristán y un barbero; y, a pesar de ser sorprendidos, el marido es engañado. JOSE CADALSO, siglo y medio más tarde, en las *Cartas marruecas* (póst. 1789), reprochará por boca de Gazel (Carta X), que se censure la poligamia de los países musulmanes cuando aquí se practica. LEANDRO FERNANDEZ DE MORATIN plantea en *El viejo y la niña* (1790) el adulterio platónico entre Isabel y don Juan, resuelto ante la actitud airada del marido, don Roque,

13

con la separación de los jóvenes. Moratín intenta conciliar la crítica a los matrimonios desiguales con la moral. La novela costumbrista de FERNÁN CABALLERO, *La gaviota* (1845), presenta a una mujer fría e indiferente tanto con el marido como con el amante; el marido, Stein, aunque abandona a la infiel, la perdona. En *El tejado de vidrio* (1857) de ADELARDO LÓPEZ DE AYALA, el conde intenta la conquista de la mujer de un amigo, mientras la suya propia prepara la fuga con un admirador. También novela de costumbres es *La mujer adúltera* (1864) de ENRIQUE PÉREZ ESCRICH. En *El nudo gordiano* (1878), de EUGENIO SELLÉS, la infidelidad femenina se paga, a la manera calderoniana, con la muerte de la adúltera. En *Los Pazos de Ulloa* (1880) de EMILIA PARDO BAZÁN, la relación adúltera entre Pedro, el señor, e Isabel, la criada, es una situación establecida; pero el propio Pedro se manifiesta implacable ante la sola idea de un desliz de su esposa Nucha. El camino hacia la infidelidad de Ana Ozores en *La Regenta* (1884) de LEOPOLDO ALAS, *CLARÍN*, está preparado por la insatisfacción conyugal y consumado pese a sus aparentes escrúpulos. En *Su único hijo* (1890) *CLARÍN* refiere cómo ambos cónyuges se consuelan del hastío matrimonial sosteniendo relaciones fuera del hogar. *Fortunata y Jacinta* (1887-1888), "dos historias de casadas" de BENITO PÉREZ GALDÓS, centra la acción narrativa en Juanito Santa Cruz, el marido, que mantiene relaciones con Fortunata, a la que, como a la propia esposa, Jacinta, también abandonará; en *Realidad* (1889) el marido, Orozco, muestra su desprendimiento y superioridad ética ante el adulterio de su mujer, Augusta, y Federico Viera. En *Mancha que limpia* (1895) de JOSÉ ECHEGARAY, Matilde descubre que Enriqueta engaña a su marido Fernando y la mata, lavando así la infamia. JACINTO BENAVENTE plantea el tema del adulterio en multitud de obras, entre otras, *Rosas de otoño* (1905), *Señora Ama* (1908), *Su amante esposa* (1950). RAMÓN

DEL VALLE INCLAN presenta en *Divinas palabras* (1920) un ambiente rural de miseria y pobreza, de lujuria y codicia, en el que Mari-Gaila se prostituye. *Los cuernos de don Friolera* (1921), del mismo autor, es una parodia del marido engañado. El drama *Amor de Don Perlimprín con Belisa en su jardín* (1932), de FEDERICO GARCIA LORCA, representa a Perlimprín cornudo de sí mismo y, sin embargo, vencedor. MIGUEL DELIBES en *Mi idolatrado hijo Sisí* (1853) no hace sino mostrar la práctica de ciertos señoritos de tener y mantener una amante fija. *Congreso en Estocolmo* (1952) de JOSE LUIS SAMPEDRO, plantea las nuevas relaciones amorosas que se ofrecen al hombre cuando sale de su entorno provinciano, la aventura pasajera que en su propio ambiente no es capaz de permitirse. *Tormenta de verano* (1962) de JUAN GARCIA HORTELANO presenta al protagonista Javier aburrido en su matrimonio, con relaciones con una mujer de su propio ambiente y recurriendo también a una chica de alterne. En forma de comedia frívola, VICTOR RUIZ IRIARTE estrena *Historia de un adulterio* (1969). Enrique Medina, señorito andaluz, mantiene relaciones adúlteras, muriendo en casa de la querida, Maruja, en *La espuela* (1978) de MANUEL BARRIOS. MARTA PORTAL, en *Pago de traición* (1983), refiere a través de dos generaciones diferentes una situación similar, la del adulterio. *El jinete del caballo de copas* (1987) de JOAQUIN MARQUEZ, muestra el amor legítimo y el adúltero.

* * *

Puede consultarse: C. MARTIN GAITE, *Usos y costumbres amorosos del dieciocho en España* (1972); B. CIPLIJAUSKAITE, *La mujer insatisfecha. El adulterio en la novela realista* (1984).

Ver **Celos, honor.**

2. AMERICA

El descubrimiento del Nuevo Mundo, la conquista y la posterior colonización atrajo desde siempre a los escritores, bien para cantar las hazañas individuales o colectivas, bien para narrar las gestas heroicas de los grandes conquistadores. De todos ellos, el que concita mayor entusiasmo, más que el propio descubridor Colón, es Hernán Cortés. La bibliografía estrictamente histórica es mucho más abundante que la literaria, pero aquí sólo se recogen las obras de ficción, aquellos textos que, inspirados por las Crónicas, en algunos casos, por las leyendas en otros, presentan la vertiente imaginaria de un mundo y unos hombres que emprendieron una aventura que a lo largo de cuatro siglos ha mantenido el interés de los escritores.

A mediados del siglo XVI, FERNANDO DE ZARATE compuso un drama en cinco actos, *La conquista de México*, sobre el antagonismo de los españoles y la figura triunfante de Cortés. FRANCISCO CERVANTES DE SALAZAR escribió en forma de diálogo *Tvmvlo imperial de la gran ciudad de México* (1560). El poema épico *La Araucana* (primera parte, 1569; segunda parte, 1578) de ALONSO DE ERCILLA, exalta el valor de los indígenas de Chile. FRANCISCO DE TERRAZAS, nacido en México, plantea un idilio indio, mostrando su simpatía por los aborígenes en *Nuevo mundo y conquista* (segunda mitad del siglo XVI), del que sólo se conservan fragmentos. GABRIEL LOBO LASSO DE LA VEGA crea la epopeya *Cortés valeroso y Mexicana* (1588, ed. aumentada de *Mexicana*, 1594), con simbología clásica, pero carente de colorido local. JUAN CASTELLANOS, que marcha a América en 1537 y muere allí, escribe *Primera parte de las Elegías de varones ilustres de Indias* (1589). *El peregrino indiano* (¿siglos XVI-XVII?) de ANTONIO SAAVEDRA GUZMAN, es otra epopeya con simbología clásica. El drama de LOPE DE VEGA, *El nuevo mundo descubierto por Colón* (1614), presenta la apoteosis de la gesta histórica, en la que se exalta la fe por encima de la codicia de los conquistadores. TIRSO DE MOLINA reivindica la memoria de Gonzalo y Hernando Pizarro en una trilogía dramática, escrita hacia 1631, *Todo es dar en una cosa,* sobre la juventud de Gonzalo; *Amazonas en las Indias,* sobre las andanzas americanas, y *La lealtad contra la envidia,* defiende a Hernando, vituperando a Almagro. *El valeroso Español, y primero de su casa, Hernán Cortés* (1638) de GASPAR DE AVILA, es una comedia cortesana de libre invención. F. RUIZ DE LEON se inspira en la *Historia de la Conquista de México* de ANTONIO DE SOLIS, en su epopeya heroica, *Hernandia* (1755) sobre Hernán Cortés. La comedia cortesana, *El pleito de Hernán Cortés con Pánfilo de Narváez* (póst. 1762) de JOSE DE CAÑIZARES, representa el casamiento del conquistador con doña Diana de Zúñiga y el pleito de los derechos de Cortés en la corte española. *Cortés triunfante en Tlascala* (1780) de AGUSTIN CORDERO, es la parte central de la trilogía dramática sobre el conquistador. En *Las naves de Cortés destruidas* (1777) de JOSE M.ª VACA DE GUZMAN, poema de sesenta versos en octavas reales, la diosa América muestra en sueños al poeta las naves destruidas y a Cortés prometiendo la victoria a sus hombres. Del mismo título, *Las naves de Cortés destruidas* (1777, publ. 1785) es el poema de NICOLAS FERNANDEZ DE MORATIN, en el que Cortés tira su lanza contra la línea de flotación de la nave insignia, siendo imitado por los que permanecen fieles. FERMIN DEL REY escribe una trilogía dramática, *Hernán Cortés Cholula, Hernán Cortés en Tabasco, Hernán Cortés victorioso y paz con los Tlaxcaltecas* (1790), en la que Marina, amante de Cortés, duda entre su amor y su patria. La destrucción de las naves de Cortés vuelve a ser cantada por JUAN DE ESCOIQUIZ en *México conquistada. Poema heroyco* (1798), en tres volúmenes. BERNARDO M.ª CALZADA presenta en *Motezuma* (1804) al soberano mejicano, noble, desengañado, pidiendo perdón a su pueblo. PATRICIO DE LA ESCOSURA dedica tres obras a los héroes de la conquista, *La aurora de Colón* (1838), drama en verso; *Las mocedades de Hernán Cortés* (1845), comedia histórica en verso, y la novela histórica *La conjuración de México o los hijos de Hernán Cortes* (1850). El DUQUE DE RIVAS refiere en el romance *La buenaventura* (1841), cómo una gitana predice al joven Cortés su destino. El *Romancero de Hernán Cortés* (1847) de ANTONIO HURTADO Y VALHONDO, contiene veintinueve romances sobre la vida del conquistador y su relación con Marina. La novela histórica de GERTRUDIS GOMEZ DE AVELLANEDA, *Guatimozín, último emperador de México* (1847) narra la vida de Cuahtémoc, el último rey azteca. CIRO BAYO cuenta con varias novelas inspiradas en temas americanos: *El peregrino en las Indias. En el corazón de América del Sur* (1912), *Los Marañones* (1913), *Los caballeros del Dorado* (1915) y *La reina del Chaco* (1935). RAMON DEL VALLE INCLAN condena en *Tirano Banderas* (1926), el abuso del poder legado por España a los países hispanoamericanos, frente a esto presenta la figura del indio explotado. SALVADOR DE MADARIAGA rehace la petición y presentación de Colón a los Reyes Católicos en *Romance de la Cruz y la bandera* (1940) y la partida y el descubrimiento en el «Cuadro histórico radiofónico», *Las tres carabelas* (1940). La serie de novelas históricas, *Esquiveles y Manriques* (1942, 1956-58, 1961-66), situadas en la época de la conquista, presenta el transfondo étnico y cultural del Nuevo Mundo. RAMON J. SENDER en *La aventura equinoccial de Lope de Aguirre* (1964), refiere las correrías del pintoresco conquistador y el ambiente moral de sus compañeros. JOSE SANCHIS SINISTERRA retoma la figura de Lope de Aguirre en *Crímenes y locuras del traidor Lope de Aguirre* (1977-86) y en la obra de teatro *Conquistador o El retablo de Eldorado* (1984). La obra de teatro de ALBERTO MIRALLES, *Versos de arte menor por un varón ilustre* (1969), reeditada años después con el título *Colón...*, da una versión cínica y desmitificadora del Descubrimiento. La novela de TORCUATO LUCA DE TENA, *El futuro fue ayer* (1987), es una fabulación de las supuestas memorias del andariego Jerónimo Aguilar.

* * *

Además de las *Crónicas* históricas, *Diarios* de los descubridores, que pueden sustentar las obras anteriormente citadas, los estudios siguientes aportan elementos complementarios al análisis literario. S. MADARIAGA, *Vida del muy magnífico señor Cristóbal Colón* (1940), *Hernán Cortés* (1941), *Simón Bolívar* (1949). R. ROJAS, *Las Leyes de Indias y la novela épica colonial* (1942). M. AGUILERA, *América en los clásicos españoles* (1952). A. FRANCO, *El tema de América en los autores españoles del Siglo de Oro* (1954). V. DE PEDRO, *América en las letras españolas del Siglo de Oro* (1954). J. CARO BAROJA, "Lope de Aguirre, traidor" y "Pedro de Ursua o el caballero", en *El señor inquisidor y otras vidas por oficio* (1968). J. MANZANO Y MANZANO, *Colón y su secreto* (1976). J. PEREZ DE TUDELA, *Mirabilis in altis* (1983).

3. ANTICLERICALISMO

El término anticlerical se difunde a partir del siglo XIX para designar la actitud de hostilidad al clero; por extensión esta animosidad se vierte contra la institución eclesial y, en última instancia, contra la religión. De la crítica a las personas se pasa, pues, al ataque a la forma de concebir o practicar la religión, que no la fe. Pero siempre permanece la persona del clérigo, del sacerdote, como compendio y ejemplificación de ideas y actitudes consideradas retrógradas, de costumbres relajadas o de intervención partidista en la vida pública. La gran novela del siglo XIX se sirve de esta figura para retratar la polémica suscitada entre un catolicismo tradicional y unas formas de espiritualidad más auténticas. La práctica religiosa aparece a menudo como patrimonio de espíritus débiles o exaltados, en su mayor parte mujeres, y la impiedad o incredulidad se personifica generalmente en los hombres. En definitiva, las diferentes posturas religiosas, oscurantismo y fe ilustrada, evidencian la lucha ideológica que dividió a la opinión pública española durante el siglo XIX y buena parte del XX, a la que no eran ajenos los escritores, que expresan a través de sus obras la actitud sobre el catolicismo imperante.

Además de las obras citadas en el tema Sacerdote, que se centran primordialmente en la peripecia personal, puede completarse el análisis con: GONZALO DE BERCEO, *Milagro de Nuestra Señora* (siglo XIII), en la que aparecen varios clérigos pecadores o zafios. "El clérigo y la flor", "El clérigo ignorante", "El monje y San Pedro", "El clérigo embriagado", salvados por intercesión de la Virgen. JUAN RUIZ ofrece una sátira de la corrupción clerical en *Libro de Buen Amor* (1330, 1343). PEDRO LOPEZ DE AYALA en *Rimado de Palacio* (1378-1385), critica los vicios de la Iglesia, "si estos son ministros sónlo de Satanás ca nunca buenas obras tú facer los verás". La crítica a veces sangrienta de las costumbres poco edificantes de los miembros del clero que se da desde los albores de la literatura, desaparece con la Contrarreforma para volver a ser tratado en épocas de mayor libertad; así: FERNAN CABALLERO, *Elia o la España treinta años ha...* (1849). BENITO PEREZ GALDOS, *El audaz* (1872), *Doña Perfecta* (1876), *Gloria* (1878), *La familia de León Roch* (1878), *El doctor Centeno* (1883), *Angel Guerra* (1890-1891), *Halma* (1895), *El caballero encantado* (1909). PEDRO ANTONIO DE ALARCON, *El escándalo* (1875), *La pródiga* (1882). JUAN VALERA, *Pepita Jiménez* (1874), *Las ilusiones del doctor Faustino* (1875), *Doña Luz* (1879), *Juanita la larga* (1895), *Morsamor* (1899). JOSE M.ª PEREDA, *Don Gonzalo González de la Gonzalera* (1878), *De tal palo tal astilla* (1880). EMILIA PARDO BAZAN, *Viaje de novios* (1881), *Una cristiana* (1890), *La Quimera* (1905). ARMANDO PALACIO VALDES, *Marta y María* (1883). LUIS COLOMA, *Pequeñeces* (1891). LEOPOLDO ALAS, *CLARIN*, «El frío del Papa» y «Viaje redondo», en *Cuentos morales* (1896). VICENTE BLASCO IBAÑEZ, *La Catedral* (1903), *La Bodega* (1904-1905). RAMON DEL VALLE INCLAN, *Baza de espadas* (póst. publ. 1958), tercera parte de la trilogía *Ruedo Ibérico*.

* * *

Estudios relacionados con el tema: M. BAQUERO GOYANES, *Prosistas españoles contemporáneos* (1956). F. RUIZ RAMON, *Tres personajes galdosianos. Ensayo de aproximación a un mundo religioso y moral* (1964). J. FERNANDEZ MONTESINOS, *Costumbrismo y novela. Ensayo sobre el redescubrimiento de la realidad española* (1965). M. RIBA, *Orígenes del anticlericalismo español* (1973). F. PEREZ GUTIERREZ, *El problema religioso en la generación de 1868*. J. ANDRES GALLEGO, *La política religiosa en España, 1889-1913* (1975). J. CARO BAROJA, *Introducción a una historia contemporánea del Anticlericalismo español*, (1980). S. MIRANDA, *Religión y clero en la gran novela española del siglo XIX* (1982).

Ver **Sacerdote.**

4. ARISTOCRACIA

La nobleza constituía en España una clase social privilegiada que gozaba de prerrogativas particulares por derecho hereditario o concesión de los soberanos; el estamento nobiliario conservó su riqueza agraria y los derechos señoriales inherentes a ella aún después de haber desaparecido la función militar que le había dado origen. La literatura, salvo en el teatro del Siglo de Oro y algunas otras excepciones, no ha dado un trato benevolente a la nobleza, ni como clase, ni como individuos.

Don JUAN MANUEL escribe *El Conde Lucanor* (1330-1335) en el momento de crisis entre la Monarquía y la nobleza, defendiendo a ultranza los privilegios de su clase. En el *Libro de Buen Amor* (1330, 1343) de JUAN RUIZ, Arcipreste de Hita, se encuentran ya referencias satíricas a la nobleza e hidalguía. FERNAN PEREZ DE GUZMAN denuncia el lujo en que viven los grandes señores y la explotación a la que someten a los campesinos en *Coplas de vicios y virtudes* y en *Confesión rimada* (siglo XV). Las *Coplas contra los Pecados Mortales* (mediados siglo XV), alegórica composición octosilábica concluida por GOMEZ MANRIQUE, plantea una cuestión que será debatida siglos más tarde, "no basta que vengas de gente noble", la nobleza obliga "a ser bueno de derecho". Las anónimas *Coplas de la Panadera* (1446), caricaturiza a la nobleza sublevada en tiempos de Juan II; la ambición y cobardía de los nobles, que son nombrados personalmente, son motivo de burla. En las *Coplas de Mingo Revulgo* (hacia 1465), los nobles aparecen alegóricamente como lobos que atacan y causan estragos en el rebaño. En las *Coplas del Provincial* (1465-1474) se llega a injuriar violentamente a la nobleza castellana en el reinado de Enrique IV. La *Vita Christi* (1467-1468), de Fray IÑIGO DE MENDOZA, reprende el lujo y boato de la nobleza. El teatro del Siglo de Oro es pródigo en personajes que pertenecen a la aristocracia; la jerarquía nobiliaria, duque, marqués, conde, vizconde, barón, está representada en numerosas comedias de LOPE DE VEGA, JUAN RUIZ DE ALARCON, FRANCISCO DE ROJAS ZORRILLA o AGUSTIN MORETO, no exenta, a veces, de una leve ironía. A partir del siglo XVIII la clase noble ha sido objeto de crítica, e incluso de sarcasmo. GASPAR MELCHOR DE JOVELLANOS escribe la epístola *A Arnesto* (1786-1787), sátira político-social, en la que se duele de la situación de la nobleza, y, convencido de que la reforma y el progreso sólo pueden venir de la mano de la educación, en 1798 redacta *Plan de educación de la nobleza,* por orden del rey. JOSE CADALSO, en *Cartas Marruecas* (póst. 1789), critica la nobleza hereditaria, la vanidad de fundar la posición actual en las glorias de los antepasados, aunque el vástago actual sea un perfecto inútil. TOMAS DE IRIARTE escribe comedias morales, *La señorita malcriada* (1788) y *El señorito mimado, o la mala educación de la nobleza* (1890). La comedia de LEANDRO FERNANDEZ DE MORATIN, *El barón* (1803), satiriza en el personaje de la tía Mónica la aspiración a elevarse de clase social, el afán de desclasamiento, el deslumbramiento por el lujo y la vanidad de la nobleza. MARIANO JOSE DE LARRA, heredero del pensamiento ilustrado, en sus ataques reiterativos a la sociedad española en los *Artículos* (1833-1836), no salva tampoco a la aristocracia, al obscurantismo y la ociosidad de una clase que vive de espaldas al progreso. MANUEL BRETON DE LOS HERREROS en *El pelo de la Dehesa* (1840), hace una crítica amable de la aristocracia madrileña de la época. *El señor de Bembibre* (1844) de ENRIQUE GIL Y CARRASCO, supone el retroceso romántico a las formas de vida de la nobleza del siglo XIV. PEDRO ANTONIO DE ALARCON, en *El escándalo* (1875), narra la vida disipada y el posterior arrepentimiento del joven conde de la Umbría. BENITO PEREZ GALDOS, en *La de Bringas* (1884), como LEOPOLDO ALAS, *CLARIN*, en *La Regenta* (1884), retratan la frivolidad de la marquesa de Tellería y los marqueses de Vegallana, respectivamente. En *Los Pazos de Ulloa* (1886), EMILIA PARDO BAZAN analiza la decadencia de una familia aristocrática gallega, los Ulloa. LUIS COLOMA, en *Pequeñeces* (1891), hace una sátira de la aristocracia madrileña durante el reinado de Amadeo de Saboya, caricaturizando a los personajes que conspiran y preparan la Restauración. *La espuma* (1891), de ARMANDO PALACIO VALDES, es una pintura de las malas costumbres de unos aristócratas de la sangre y el dinero, el autor critica la conciencia elitista de estos personajes que les lleva a considerarse depositarios de unos valores de clase. La comedia de JACINTO BENAVENTE *La comida de las fieras* (1898), versa sobre la decadencia de la nobleza, la ruina y descomposición de algunos linajes. Las aventuras galantes del marqués de Bradomín, en las *Sonatas* (1902-1905) de RAMON DEL VALLE INCLAN, suponen una fantasía nobiliaria, indicada por el estatus, blasones e incluso objetos que detenta y posee el marqués. La literatura del siglo XX no es pródiga en personajes que pertenezcan a la nobleza, ya que se centra más en la burguesía ascendente y triunfante; en los últimos años aparecen dos novelas que denuncian la pervivencia de formas opresoras en *Los santos inocentes* (1981) de MIGUEL DELIBES, o la inutilidad de algunos miembros de familias aristócratas en *Giralda 2* (1984) de ALFONSO GROSSO.

Ver **Sátira, sociedad.**

5. BRUJERIA

Sin ser muy abundante la bibliografía sobre obras de ficción que se refieran a este tema, sí cuenta con obras interesantes a lo largo de la historia de la literatura, desde la General Storia *de Alfonso X El sabio, hasta nuestros días. Siempre han llamado la atención las prácticas mágicas destinadas a ejercer sortilegios o maleficios sobre seres humanos, los animales, incluso sobre las plantas. Las brujas presentan unas características comunes y bien definidas, son criaturas nacidas ya con un aspecto particular, se representan viejas, feas y deformes, y su actividad implica una comunicación con las fuerzas malignas que la magia se dedica a conjurar. Aunque la sociedad recurre a ellas, en ocasiones, para propiciar su ayuda, constituyen minorías marginadas. Hay que hacer notar que la mayoría de los personajes que aparecen en la literatura están más próximos a la hechicería que a la brujería, es decir, raramente toman parte en cultos demoniacos, sino que se dedican más bien a practicar un arte que les permite manipular las fuerzas ocultas de la naturaleza.*

En el primer tercio del siglo XV ENRIQUE DE VILLENA escribe *Tratado de Astrología* y *Libro de Aojamiento o Fascinología. La Tragicomedia de Calisto y Melibea (1499.-1500)* de FERNANDO DE ROJAS, traza en la*Celestina* el retrato de la hechicera y detalla sus prácticas, consideradas por la propia Celestina como un "oficio". En *El coloquio de los perros* (1613), MIGUEL DE CERVANTES refiere un episodio sobre las hechicerías de una vieja. El Padre BENITO FEIJOO, en sus *Cartas eruditas y curiosas* (1726-1760), escritas "para desengaño de errores comunes", censura las falsas creencias y las prácticas supersticiosas en "Transformaciones mágicas" y "Pretendida multitud de hechiceros". *El Trovador* (1836), de ANTONIO GARCIA GUTIERREZ, comienza la acción con la quema en la hoguera de una gitana acusada de supuestos hechizos al pequeño Juan. EUGENIO DE TAPIA escribe bajo el seudónimo de VALENTIN DE MAZO Y CORREA un poema romántico-burlesco titulado *La Bruja, el Duende y la Inquisición* (1837). JUAN EUGENIO DE HARTZENBUSCH estrena la comedia de magia y enredo, *La redoma encantada* (1839), en la que Garabito se convierte en bruja al caer en la redoma de la bruja Marizápalos. *Los polvos de la madre Celestina* (1840) es otra comedia de magia del mismo autor, en la que el beso a una vieja Celestina desencantará a la joven que está encubierta bajo apariencia tan desagradable. En *Réquiem por un campesino español* (1953), de RAMON J. SENDER, aparece Jerónima, que solía rezar extrañas oraciones y usar amuletos con los recién nacidos. Las historias maravillosas de *Merlín y familia* (1957) de ALVARO CUNQUEIRO, suponen la existencia fantástica de poderes ocultos en el siempre y actualmente vivo mago Merlín, que hace uso de pócimas, bebedizos, hechizos y filtros de amor. CARLOS ROJAS, en *Aquelarre* (1970), da pruebas de su gran imaginación. El *Retrato de una bruja* (1970) de LUIS DE CASTRESANA, recrea el fascinante mundo de las brujas; los conjuros, fórmulas esotéricas, remedios botánicos, invocaciones al diablo, y hasta un aquelarre, desfilan por la novela. *La fase del rubí* (1987) de PILAR PEDRAZA presenta, remontándose a la España del siglo XVII, un cuadro de prácticas ocultas y ritos satánicos.

* * *

Los estudios que abordan la magia y la brujería son numerosos: J. CARO BAROJA, *Las brujas y su mundo* (1961); "El P. Feijoo y la crisis de la magia y la astro-

27

logía en el siglo XVIII", en *Vidas mágicas e inquisición* (1967); *Inquisición, brujería y criptojudaísmo* (1970); *Teatro popular y magia* (1976); *Magia y brujería* (1987). J. REPOLLES, *La brujería actual* (1975). M. BOUCHER, *Brujería y exorcismo* (1976). J. I. HERNANDEZ MONTERO, *La brujería, el espiritismo y la inquisición* (1978). F. CARDINI, *Magia, brujería y superstición en el Occidente medieval* (1982). F. IDOATE, *La brujería* (1983). J. M. DE BARANDIARAN, *Brujería y brujas* (1984). A. GARROSA RESINA, *Magia y superstición en la literatura castellana medieval* (1987).

Ver **Demonio, fantasía, magia.**

6. BURGUESIA

La burguesía, que surge como estamento en la Edad Media al constituirse en las ciudades una clase social de comerciantes y artesanos, no aparece como grupo dominante hasta el siglo XIX. La literatura, que recoge no sólo los sentimientos o ideas de los hombres de su tiempo, sino también sus comportamientos sociales, reflejará este estado de cosas, haciendo hincapié en un aspecto particular: el deseo de la clase media de disfrutar del prestigio social y de una forma de vida que la distinga del pueblo, más allá de los motivos económicos.

La literatura cuenta, desde la *Tragicomedia de Calisto y Melibea* (1499?-1500) de FERNANDO DE ROJAS, con la presencia de una familia burguesa, la de Melibea; Pleberio, el padre, pertenece a la clase de comerciantes ricos, y su fortuna no está en relación con la tierra. Pero es a partir del triunfo de la burguesía en el siglo XIX cuando la novela realista va a iniciar el retrato de una clase que, por otro lado, presenta unos límites muy indeterminados. Ya MARIANO JOSE DE LARRA en los *Artículos* (1833-1836) había fustigado los vicios de esta clase ascendente. VENTURA DE LA VEGA, en la comedia *El hombre de mundo* (1845), critica de modo tópico la inmoralidad de la burguesía. La mediocridad del hombre burgués es evidente en la novela de JUAN VALERA, *Las ilusiones del doctor Faustino* (1875). ADELARDO LOPEZ DE AYALA, en *Consuelo* (1878), presenta un panorama de la sociedad de su tiempo y los problemas de la clase media. BENITO PEREZ GALDOS, tanto en los *Episodios Nacionales*

(1873-1912), desde *Los Apostólicos* (1879), *Las tormentas del 48* (1902), *La de los tristes destinos* (1907), o *Cánovas* (1912), como en las novelas, *La de Bringas* (1884) o *Tormento* (1884), retrata a la clase media madrileña, en ocasiones laboriosa, pero las más de las veces deseosa de aparentar y encumbrarse; en *Lo prohibido* (1884-1885), hace un inventario social de la alta burguesía madrileña. *La Regenta* (1884) de LEOPOLDO ALAS, *CLARIN*, ofrece el cuadro de la burguesía ociosa de provincias, encerrada en el marco de Vetusta, Oviedo. ARMANDO PALACIO VALDES presenta en sus obras el arquetipo social de la clase media, como en *Marta y María* (1883), *Riverita* (1886), *Maximina* (1887), *La alegría del capitán Ribot* (1899). La mayor parte del teatro de JACINTO BENAVENTE pretende ser un retrato y una crítica, suave, de la burguesía de su tiempo. Entre otras, *El nido ajeno* (1894), sobre el tema de la mujer casada y su posible infidelidad; *Gente conocida* (1896), sobre la hipocresía y malevolencia de la buena sociedad; *La comida de las fieras* (1898); *La noche del sábado* (1903), en donde extiende la crítica a la sociedad europea; *La propia estimación* (1915); *Pepa Doncel* (1928); *Vidas cruzadas* (1929), etc. PIO BAROJA recrimina la pasividad de la burguesía en *El árbol de la ciencia* (1911), y en *Los visionarios* (1932) presenta, en el marco del inicio de la Segunda República, a una clase media enriquecida e ignorante. RAMON J. SENDER, en *La noche de las cien cabezas* (1934), hace una crítica despiadada de la sociedad burguesa. La trilogía de IGNACIO AGUSTI, *La Ceniza fue árbol: Mariona Rebull* (1944), *El viudo Rius* (1945) y *Desiderio* (1957), muestra el comienzo de la prosperidad industrial en la Barcelona de finales del XIX. CARMEN LAFORET, en *Nada* (1945), describe la penuria de cierta clase media en la posguerra. MIGUEL DELIBES en *Mi idolatrado hijo Sisí* (1953), refleja la pequeña burguesía del comercio en los años treinta. *La fiebre* (1959) de RAMON NIETO, muestra la desintegración moral de la burguesía a través de Daniel, el nieto, que llega a la ruina. *La calle Valverde* (1961), de MAX AUB, retrata la vida intelectual de la clase pequeño-burguesa. FRANCISCO AYALA, en *El fondo del vaso* (1962), denuncia la corrupción de la alta burguesía. JUAN GARCIA HORTELANO critica a una burguesía ociosa y abúlica, sin inquietudes sociales, que se refugia en el alcohol, las fiestas o el sexo, en *Tormenta de verano* (1962) y *El gran momento de Mary Tribune* (1972). JUAN MARSE, en *Ultimas tardes con Teresa* o *La oscura historia de la prima Montse* (1970), retrata la familia burguesa "ricatólica" de Barcelona en los años sesenta. MANUEL VAZQUEZ MONTALBAN en *Cuarteto* (1988), presenta a una burguesía ilustrada, con una falsa y refinada sensibilidad.

* * *

Se pueden consultar los siguientes estudios: J. C. MAINER, *Literatura y pequeña burguesía en España* (1972). J. M. ZAVALA, *Burguesía y literatura* (1974). J. RODRIGUEZ PUERTOLAS, *Galdós: Burguesía y revolución* (1975). F. VILLACORTA, *Burguesía y cultura* (1980).

Ver **Sociedad.**

7. CARCEL

La sociedad, el poder, se defienden —o atacan— de aquellos individuos que juzgan se han separado de las reglas establecidas. Los motivos políticos han incidido directamente en el encarcelamiento de grandes escritores —Fray Luis de León, Quevedo, Jovellanos, Miguel Hernández, entre otros— que han expresado sus vivencias marcadas por la falta de libertad, pero hay algunas obras que no se refieren a la experiencia personal y que se indican seguidamente.

El confinamiento contra la propia voluntad ha quedado reflejado fundamentalmente en el teatro, ya que éste permite expresarse directamente al personaje en un medio hostil. MIGUEL DE CERVANTES se refiere a ello en tres comedias: *El trato de Argel* (publ. 1784), representa el cautiverio sufrido en las cárceles sarracenas; *La gran sultana doña Catalina de Oviedo* (1615), sitúa a la dama cristiana en el harén del Gran Turco; en *Los baños de Argel* (1615), el enredo amoroso tiene como marco las prisiones de Argel donde han sido conducidos un grupo de cristianos apresados por los piratas. La figura de Mariana Pineda, recluida por orden de Fernando VII y ajusticiada en 1831, ha sido llevada a la escena por FEDERICO GARCIA LORCA, *Mariana Pineda* (1927) y JOSE MARTIN RECUERDA, *Las arrecogías en el beaterio de Santa María Egipciaca* (1971). ANTONIO BUERO VALLEJO en *La Fundación* (1974) presenta el drama simbólico de cinco condenados a muerte en la habitación de la Fundación, que no es sino la celda de la cárcel, que uno de ellos —nosotros—

se niega a reconocer. EDUARDO ALONSO reconstruye en *El insomnio de una noche de invierno* (1984) el encarcelamiento de Quevedo. Por otro lado, la novela propicia la introspección, así *La quinta soledad* (1943), de PEDRO DE LORENZO, analiza los pensamientos y sentimientos del prisionero, describe la soledad que sufre el hombre aislado en una celda contra su voluntad. En *Los vencidos* (1965), de ANTONIO FERRES, aparece el testimonio de los presos políticos en la cárcel de Guadalarreal, principalmente de Federico, antiguo médico, que cumple allí condena. Manolo, en *La oscura historia de la prima Montse* (1970) de JUAN MARSE, es un preso común que, como tantos otros, cumple una condena por delitos menores, que no parece afectarle psicológicamente.

Ver **Delincuente, exilio.**

8. CEGUERA

El ciego es un personaje que, si no de forma muy abundante, sí con cierta frecuencia, aparece en la novela o el teatro. La carencia de visión caracteriza de este modo al individuo, diferenciándolo, por los motivos que cada autor pretenda, de los videntes que le rodean.

El ciego, en algunas ocasiones, como en *La vida del Lazarillo de Tormes* (1554), cumple la función de representar una tipología social; el primer amo de Lázaro, astuto y avaro, es ciego, lo que también permite al anónimo autor poner en evidencia las trapisondas del pícaro, que no respeta ni compadece la minusvalía de su amo. La leyenda de GUSTAVO ADOLFO BECQUER, *Maese Pérez, el organista* (1861, publ. póst. 1871), muestra al artista ciego; la música que brota de sus manos es así expresión de su mundo interior. BENITO PEREZ GALDOS, en *Marianela* (1878), presenta a un joven enamorado, Pablo Penágriles, que recobra la vista, sin perder por ello la sensibilidad que le había caracterizado mientras fue ciego. Ciega es también Lucía en *Angel Guerra* (1890-91). La ceguera, agravada por la pobreza, es la condición del moro Almudena, otro personaje entrañable de Galdós, en *Misericordia* (1897). En *El mayorazgo de Labraz* (1903), de PIO BAROJA, el ciego Juan es la personificación del bien. La ceguera de Max Estrella en *Luces de Bohemia* (1920), de RAMON DEL VALLE INCLAN, recalca el mundo esperpéntico de principios de siglo. ANTONIO BUERO VALLEJO ha recurrido en tres obras teatrales a la temática simbólica de la ceguera. *En la ardiente oscuridad* (1950), introduce al espectador en una institución moderna para ciegos en la que se respira optimismo, hasta que ingresa Ignacio y les enfrenta con el mundo exterior, el de los videntes. *El concierto de San Ovidio* (1962), con sus músicos ciegos, significa la "lucha del hombre, con sus limitaciones, por la libertad". En *La llegada de los dioses* (1971), Julio se queda ciego —no quiere ver, pues no es la suya una ceguera orgánica— durante veinte días. Dos hipótesis explicativas de su estado podrían ser su propio fracaso como pintor o/y su horror al saber que su padre practicó la tortura en la guerra.

9. CELES

El miedo a ser engañado, a perder la persona amada, la exigencia de exclusividad hacia el ser querido, constituye una de las pasiones primordiales; los celos son como una dimensión natural del amor que acaba dominando al amante. Otra vertiente de los celos es la rivalidad, la envidia de que otro alcance o disfrute lo que uno mismo no ha conseguido. Ambos aspectos quedan reflejados abundantemente en la literatura, sobre todo el primero de ellos. Los celos conducen, al que los padece, a actitudes irracionales, a sospechas enfermizas, a venganzas imaginadas o reales.

MIGUEL DE CERVANTES, en *El celoso extremeño* (1613), presenta a Felipe Carrizales casado con una joven a la que lleva muchos años y que, devorado por los celos, incurre en mil extravagancias. Sobre el mismo tema escribió también el entremés *El viejo celoso* (1615). En *La tragedia de los celos* (hacia 1618), GUILLEN DE CASTRO lleva al extremo la pasión de la esposa del rey que apuñala a la amada de la juventud de su marido. PEDRO CALDERON DE LA BARCA representa a Herodes poseído por "el mayor monstruo del mundo", el amor, que le conduce a matar a Mariene, su esposa, víctima del destino, en *El mayor monstruo, los celos* (1637). El mismo Calderón en *El médico de su honra* (1637), ofrece otro aspecto, el de los celos retrospectivos, el marido no puede soportar que su mujer pensase en otro hombre antes de casarse con él. En la comedia de AGUSTIN MORETO, *El desdén con el desdén* (1654), los celos son provocados intencionadamente por ambos enamorados para así atraer el interés del otro. En el siglo XVIII, la tragedia de VICENTE GARCIA DE LA HUERTA, *Raquel* (1772), plantea la pasión colectiva de los cortesanos de Alfonso VIII, temerosos de que el amor del soberano por la judía le desvíe de sus intereses: sólo la muerte de la amante les podrá librar de la que consideran poderosa rival. El tono mesurado de LEANDRO FERNANDEZ DE MORATIN hace, por el contrario, que don Diego, el pretendiente no querido de *El sí de las niñas* (1805), sea capaz de dominar su despecho y no permita que los celos se apoderen de él, triunfando así la razón. De tono menor y reflexivo es la comedia de FRANCISCO MARTINEZ DE LA ROSA, *Los celos infundados o el marido en la chimenea* (1833). En *Los amantes de Teruel* (1837) de JUAN EUGENIO DE HARTZENBUSCH, ambos amantes sufren los celos; ella por si él, "infiel estaba gozando caricias de otra mujer", mientras él exclama, "me matará mi dolor si fuera Isabel perjura". Incluso a Zulaima le roen por dentro los celos y el orgullo. VENTURA DE LA VEGA ridiculiza en *El hombre de mundo* (1845), al hombre de mundo atormentado por los celos, "Todo Madrid lo sabía, todo Madrid menos él". Los celos son el elemento pasional desencadenante de los dramas de MANUEL TAMAYO Y BAUS *Locura de amor* (1855), *La bola de nieve* (1856) y *Un drama nuevo* (1867). BENITO PEREZ GALDOS retrata en varias novelas esta situación. En *La familia de León Roch* (1878), comenta cómo León, que mantiene relaciones con una antigua amiga, no aplica el mismo criterio respecto a su mujer, "la idea de que María pudiese pertenecer a otro hombre, siquiera en intención o pensamiento, le enfurecía". En *Tormento* (1884), los celos desequilibran emocionalmente a Pedro Polo al ser rechazado por Amparo. En *Fortunata y Jacinta* (1886-87), la sospecha hace sufrir a todos los personajes engañados: Jacinta no necesita saber nada, "se lo dice el corazón"; a Maxim le destrozan hasta conducirle a la locura, y ni Fortunata se puede librar de ellos. En *La maja desnuda* (1906) de VICENTE BLASCO IBAÑEZ es la mujer, Josefina, la que padece unos celos infundados, en un principio, ya que acaban llevando a Renovales a la infidelidad. La novela de MIGUEL DE UNAMUNO *Abel Sánchez* (1917), "una historia de pasión", refiere el sufrimiento de Joaquín Monegro —Caín—, víctima de la envidia hacia su amigo Abel. *Bodas de sangre* (1933), de FEDERICO GARCIA LORCA, simboliza el conflicto dramático y la ciega pasión que arrastra a la muerte. En *Mr. Witt en el Cantón* (1935) de RAMON J. SENDER los celos de Mr. Witt, ingeniero inglés ya maduro, casado con una joven, Milagritos, le llevan a no oponerse al fusilamiento de un primo de ésta y a provocar la voladura del acorazado insurgente. Joaquín Rius, en *Mariona Rebull* (1944) de IGNACIO AGUSTI, mantiene una antigua rivalidad con su amigo Ernesto Villar, agravada en el presente por la atención que su mujer le presta. En la comedia de JOSE LOPEZ RUBIO, *Celos del aire* (1950), el amor triunfa sobre los celos. En *Las cartas boca abajo* (1957), de ANTONIO BUERO VALLEJO, Anita vive amargada, consumida por el rencor contra su hermana Adela, la rival que le quitó el novio. En *Cinco horas con Mario* (1966) de MIGUEL DELIBES, curiosamente Carmenchu se duele de la carencia de celos de su marido, lo que ella interpreta como falta de interés, mientras que sospecha de la relación de Mario con Encarna. ANTONIO GALA, en *Anillos para una dama* (1973), hace decir a Jimena, la viuda del Cid, la del envidiado marido, "la de veces que yo habré tenido celos de Babieca". *El sueño de Alejandría* (1988), de TERENCI MOIX, es una historia de amor en la que la presencia de los celos es una constante que angustia a los distintos amantes.

* * *

Puede consultarse: V. HERNAN ESPINOSA, *Qué son los celos* (1977).

Ver **Adulterio, honor.**

10. COLOR

La percepción de la luz es un fenómeno subjetivo; la impresión que produce la luz emitida despierta en el poeta sensaciones cromáticas íntimamente ligadas a su propia sensibilidad, agrado o malestar, intranquilidad o paz, calma, sosiego o pasión y muerte. Hasta el Romanticismo los colores denotaban el color real que los objetos poseían, se utilizaban como adjetivación plástica y matización sensorial, pero la necesidad de expresar la intimidad llevó al poeta al símbolo como manifestación de lo inefable. Los colores se convierten así en representación de estados de ánimo; un mismo color puede producir reacciones diferentes, evocar sentimientos distintos en virtud de oscuras e inaprehensibles connotaciones.

El *rojo* es el color de la plenitud, "rojo sol" para FERNANDO DE HERRERA, "esplendor rojizo" para SALVADOR RUEDA; de la pasión, "rojas lenguas de fuego" para GUSTAVO ADOLFO BECQUER; del amor, "era el amor como una roja llama" para ANTONIO MACHADO, "la cama del amor era una roja palabra" para JUAN EDUARDO CIRLOT; de la sangre y la muerte, "luna roja", "roja tarde", "rojo túnel de sangre" para FEDERICO GARCIA LORCA, FRANCISCO VILLAESPESA y MANUEL ALTOLAGUIRRE, respectivamente.

El *anaranjado* expresa juventud y entusiasmo en Federico García Lorca, "trajes color naranja".

El *amarillo* significa vejez, "fea, informe, amarilla" para JUAN MELENDEZ VALDES; muerte para Gustavo Adolfo Bécquer, "amarillas velas"; para MANUEL VAZQUEZ MONTALBAN "será la muerte un papel amarillo" y para JUAN JOSE DOMENCHINA "luz de amarillento", "caliente amarillo". Silencio y desolación, "perros amarillos" para GABRIEL CELAYA. Y, sin embargo, para JUAN RAMON JIMENEZ es luz, vida, sol, "flores amarillas"; y felicidad, "tarde amarilla" para JORGE GUILLEN.

El *verde* es el color de la naturaleza, del sosiego y la paz en Juan Meléndez Valdés y GERARDO DIEGO, "silencio verde". De la frescura, el movimiento y la esperanza en PABLO PIFERRER, "verde manto de la esperanza"; en Gustavo Adolfo Bécquer, "verde es el color del que espera"; en Juan Ramón Jiménez, "amor entre lo verde", "lo verde nuevo"; en VICENTE ALEIXANDRE, "esa esperanza siempre verde"; en VICTORIANO CREMER, "ojos... miradas... manos... corazones verdes". Pero también puede representar la amargura en Federico García Lorca, "verde carne, pelo verde", "verdes ingles", "venas verdes".

El *azul* simboliza la belleza, la calma, la tranquilidad para Gustavo Adolfo Bécquer, "tu pupila es azul"; para Antonio Machado, "montes azules" y CONCHA ZARDOYA, "nombre azul". La tristeza, para Federico García Lorca, "azul, azul, azul, claro espejo del dolor". El recuerdo de la paz, "sangre azul del día", para EMILIO PRADOS. Y la evasión para Juan Ramón Jiménez, "huir azul".

El *violeta* y el *malva* refleja en Antonio Machado la pasión contenida en el ocaso, "yermos violetas", "montes lejanos de malva y violeta", "luna amoratada". La melancolía en Juan Ramón Jiménez, "el cielo es tiernamente violeta", y en Gabriel Celaya, "tarde malva y oro bajo el cielo blanco".

No sólo los colores convencionales del arco iris aparecen en los versos, hay otros, como el blanco, el negro, el gris, el pardo, el rosa, el oro, que también están presentes.

El *blanco* representa la inocencia, "vi toda blanca la mi vestidura", "blanco lirio", "blancas rosas" para

40

FRANCISCO IMPERIAL; "blanca hija de la blanca espuma" para LUIS DE GONGORA; "pura veste blanca", "palabra blanca" para Antonio Machado. Y la nostalgia, "camino blanco", "blanca senda", para ROSALIA DE CASTRO; "blancas perlas", "blanca espuma", para Gustavo Adolfo Bécquer; "blancor iluminado" para Federico García Lorca; "mano blanca", "carne blanca", para Juan Ramón Jiménez.

El *negro* es la negación del color, de la luz, de la vida, "caí en lo negro", dice LUIS CERNUDA; "negror integral", MANUEL ANDUJAR; "araña negra del atardecer", ANGEL GONZALEZ. Es signo de la muerte para Gustavo Adolfo Bécquer, "paños negros"; MANUEL MACHADO, "negra la suerte"; Antonio Machado, "negra capa" y Federico García Lorca, "hielo negro". Pesimismo y tristeza para MIGUEL DE UNAMUNO, "negro manto de luto"; Juan Ramón Jiménez, "negror tenaz", "negro sufrimiento"; Juan José Domenchina, "negra luz". Desesperación para Rosalía de Castro, "negro nido", "pensamientos de alas negras", "negros tormentos"; para Francisco Villaespesa, "negra plegaria"; para Federico García Lorca, "agua negra". En fin, para Jorge Guillén, refleja el lado negativo de la realidad.

El *gris* es para Rosalía de Castro la tonalidad de la vejez, "el color gris domina, ¡el color de los viejos!". De la monotonía para Gustavo Adolfo Bécquer, "cielo gris". De la nostalgia para Antonio Machado, "grises alcores", "grises olivares". De la incertidumbre para Federico García Lorca, "plaza gris del sueño". De la oscuridad para Juan Ramón Jiménez, "gris pedroso". De la tristeza para Gabriel Celaya, "dalia gris". Y muestra el paso del tiempo, "los verdes eran grises" para Jorge Guillén.

El *pardo* es símbolo de monotonía, "tarde parda", "pardas encinas", para Antonio Machado; y de impotencia, "arañar... sobre pardos tablones", para LUIS FELIPE VIVANCO.

41

El *rosa* expresa alegría para Francisco Villaespesa y Juan Ramón Jiménez, "tarde rosa", "mar de rosa". Es luminosidad, encierra "toda la luz del mundo" para CARLOS BOUSOÑO.

El *oro* como color representa al sol, la vida en plenitud, "lágrimas de oro" en Salvador Rueda; "rayos de oro", en Gustavo Adolfo Bécquer; "sol de oro", "naranjos de oro", en Antonio Machado; "luna de oro", "mar de oro", en Juan Ramón Jiménez; "barcos de oro", en Federico García Lorca; "islas de oro", en Gabriel Celaya; "otoño de manos de oro", en JOSE HIERRO.

Y, por último, Antonio Machado y Juan Ramón Jiménez, funden los colores creando insospechados matices. "Verdiobscura fronda", "flor verdiamarilla", "fuente verdinosa", dice el primero. "Mar verdeuva", "jardín verdenflor", "blanquiverdes", "verdeamarillo", "verdigranas", "verdeplata", "verdeazul", "verdoros cabellos", "amarillomar", "oriblanco", "rojiseco", escribe el segundo.

* * *

Las referencias bibliográficas a este tema se pueden encontrar, entre otras obras, en: FRANCISCO IMPERIAL, *Decir de las siete virtudes* (hacia 1407). GARCILASO DE LA VEGA, *Egloga I* (post. 1543). FERNANDO DE HERRERA, *Sonetos* (segunda mitad siglo XVI). FRANCISCO DE RIOJA, *Poesías* (primera mitad siglo XVII). PABLO PIFERRER, *Canción de la primavera* (¿post. 1850?). GUSTAVO ADOLFO BECQUER, *Rimas* (1859-1868, publ. póst. 1871). MANUEL REINA, *Cromos y acuarelas* (1878). ROSALIA DE CASTRO, *En las orillas del Sar* (1884). SALVADOR RUEDA, *Renglones cortos* (1880), *Poema del beso* (1932). FRANCISCO VILLAESPESA, *Poesías* (hacia 1900). MANUEL MACHADO, *Alma* (1902). ANTONIO MACHADO, *Soledades* (1903), *Campos de Castilla* (1912). MIGUEL DE UNAMUNO, *Rosario de sonetos líricos* (1911). JUAN RAMON JIMENEZ, *Elejías* (1908, 1909, 1910), *Melancolía* (1912), *Sonetos espi-*

rituales (1913), *Segunda antolojía poética* (1922), *Tercera antolojía poética* (1957). FEDERICO GARCIA LORCA, *Primer romancero gitano* (1928), *Poeta en Nueva York* (1929-30), *Llanto por Ignacio Sánchez Mejías* (1935). GERARDO DIEGO, *Imagen* (1922). PEDRO SALINAS, *Seguro azar* (1929). EMILIO PRADOS, *Penumbras*, en *Antología* (1922-1953). JUAN JOSE DOMENCHINA, *Margen* (1933), *Pasión de sombra* (1944). LUIS CERNUDA, *Donde habite el olvido* (1934). JORGE GUILLEN, *Cántico* (1928, 1950), *Maremagnum* (1957). MANUEL ALTOLAGUIRRE, *Soledades juntas* (1931). VICENTE ALEIXANDRE, *La destrucción o el amor* (1935). GABRIEL CELAYA, *Marea de silencio* (1935), *Se parece al amor* (1949), *Paz y concierto* (1952-53). LUIS ROSALES, *La casa encendida* (1949). LUIS FELIPE VIVANCO, *Continuación de la vida* (1949). JUAN EDUARDO CIRLOT, *13 poemas de amor* (1951). ANGEL GONZALEZ, *Sin esperanza, con convencimiento* (1961). CARLOS BOUSOÑO, *Invasión de la realidad* (1962). VICTORIANO CREMER, *Tiempo de soledad* (1962). JOSE HIERRO, *El libro de las alucinaciones* (1964). MANUEL VAZQUEZ MONTALBAN, *Una educación sentimental* (1967, aum. 1970). CONCHA ZARDOYA, *Hondo Sur* (1968). CARLOS EDMUNDO DE ORY, *Poesía 1945-1969* (1970), *Energía 1940-1977* (1978). MANUEL ANDUJAR, *Hora de poesía* (1980).

43

11. CRIADOS

La relación de servicio mediante salario ha sido plasmada en la literatura creando un personaje típico, el de criado. Los criados tienen unas características comunes, son, por un lado, el interlocutor ideal para el diálogo, dando la réplica y haciendo el contrapunto con su amo. En la intriga amorosa el amo depende de los recursos del criado. Es el que urde la trama para que el héroe lleve a cabo sus planes. De capa social baja, guarda, generalmente, gran fidelidad a su señor. Por otro lado, el criado da una visión del mundo más objetiva al estar más próximo a las realidades cotidianas. En la comedia es un personaje que desempeña un papel destacado, el de gracioso. La presencia de los criados permite conocer el nivel socio-económico de una clase social, la aristocracia o la burguesía.

La *Tragicomedia de Calisto y Melibea* (¿1499?-1500) de **FERNANDO DE ROJAS**, cuenta con varios criados, Pármeno, Sempronio, Sosia y Tristán, bellacos y groseros, a los que no les mueve el interés de sus amos, sino el suyo propio; saben ser obsequiosos y aduladores para conseguir su provecho, de manera que Calisto los considera "valientes y atrevidos". En el teatro del Siglo de Oro el criado es una figura indispensable en el desarrollo de la acción, dada su extensión sólo se citan algunas obras características. En *El mercader amante* (hacia 1600) de G. DE AGUILAR, el criado Astolfo administra la fortuna de su señor, Belisario, para que éste pueda presumir de pobre ante su amada. Sancho, en *La vida del ingenioso hidalgo Don Quijote de la Mancha* (1605, 1615) de MIGUEL DE CERVANTES, es el criado más entrañable de la literatura española. Fiel a su amo permanece a su lado por afecto; ingenuo y avispado, introduce la perspectiva de la realidad en el mundo soñado de don Alonso, dando así el contrapunto sensato. *El diablo está en Cantillana* (1622), de ANTONIO VELEZ DE GUEVARA, contrapone el mundo caballeresco y el de los lacayos. El criado aparece como pícaro y gracioso. En *Los pechos privilegiados* (1625) de JUAN RUIZ DE ALARCON la figura del criado está representada por una mujer, la nodriza Jimena, sensata y prudente, que consigue la nobleza para su estirpe. PEDRO CALDERON DE LA BARCA, en *La vida es sueño* (entre 1631-1632), presenta dos tipos diferentes, el ayo de Segismundo, Clotaldo, guardián y acompañante del príncipe; y Clarín, criado de Rosaura, gracioso y aprovechado. En la comedia *Yo por vos y vos por otro* (1654), de AGUSTIN MORETO, el criado inteligente aconseja en los galanteos a la mujer. LEANDRO FERNANDEZ DE MORATIN, en *El sí de las niñas* (1805), muestra la relación de Simón, Rita y Calamocha con sus respectivos amos, Carlos, Paquita y don Diego, a los que quieren y ayudan a conseguir sus propósitos, con una mezcla de ingenio y descaro. En *Don Juan Tenorio* (1844) de JOSE ZORRILLA, Ciuti, criado de don Juan, es cómplice en las aventuras amorosas de su amo, y Brígida, la criada de doña Inés, astuta y codiciosa, pone en contacto a los amantes, en la tradición literaria de la Trotaconventos. Petra, la sirvienta de Ana Ozores en *La Regenta* (1884) de LEOPOLDO ALAS, *CLARIN*, y La Diabla, doncella de Asis, marquesa viuda de Andrade en *Insolación* (1889) de EMILIA PARDO BAZAN, ofrecen ya las características del servicio doméstico, realizan las tareas de la casa, acompañan a la señora, sin sentir gran apego por ellas. Benina, en *Misericordia* (1897), de BENITO PEREZ GALDOS, se sale del papel de criada por su bondad y abnegación. En *Los intereses creados* (1907) de JACINTO BENAVENTE Crispín sirve de guía a su amo Leonardo; es el que crea los intereses y mueve los hilos que conducen a Leonardo a un final feliz. *Volvoreta* (1917), mariposa, de WENCESLAO FERNANDEZ FLOREZ es la criada seducida por el señorito de las diversas casas en las que trabaja, a ella se le exigen las cualidades propias de una sirviente. En *La casa de Bernarda Alba* (1936) de FEDERICO GARCIA LORCA Poncia es la vieja servidora de la familia, casi un miembro más, pero guardando ciertas distancias. También antigua en el servicio es la fiel aya de Jimena, Costanza, en *Anillos para una dama* (1973) de ANTONIO GALA. En *Fragmentos de interior* (1976) de CARMEN MARTIN GAITE, la familia cuenta con dos sirvientas, Pura, la antigua criada imprescindible, y Luisa, la empleadita joven. *La maraña de los cien hilos* (1976) de ROSA ROMA, presenta un tipo curioso, Paula, criada de Begoña, quien desde la cárcel recuerda su vida y la de su señora. En *Los santos inocentes* (1981) de MIGUEL DELIBES el papel de doméstica propiamente dicho le corresponde a la hija, aunque toda la familia está sujeta a los señoritos, bajo la frase machacona de Régula, "para servir, que para eso estamos".

Ver **Pícaro.**

46

12. DELINCUENTE

La literatura, como en muchas otras ocasiones, ha puesto su mirada en situaciones socialmente conflictivas y para ello ha creado personajes que se colocan al margen de la ley. Alexander A. Parker considera que el pícaro es un delincuente, reflejando la definición que da de él, en 1726, el primer Diccionario de la Academia Española, "bajo, ruin, doloso, falto de honra y vergüenza"; pero, independientemente de aceptar o no esta opinión, en las obras de ficción se pueden encontrar diversos tipos que no son pícaros y, sin embargo, han cometido delitos mayores o menores contra personas o cosas.

En el capítulo XXII de la Primera Parte de *El Quijote* (1605) de MIGUEL DE CERVANTES, el caballero tiene un encuentro con "gente forzada del rey"; se trata de doce hombres "ensartados como cuentas en una gran cadena de hierros, por los cuellos, y todos con esposas en las manos", que, preguntados por las causas de su prisión contestan socarronamente; han robado, han hecho negocios fraudulentos, o han atentado contra la honra de las doncellas. Destaca entre ellos Ginesillo de Pasamonte, famoso malhechor. TIRSO DE MOLINA presenta en *El condenado por desconfiado* (1624) a Enrico, ladrón y asesino que, a pesar de todo, logra la salvación. La forma de delincuencia del bandolero, propio de las últimas décadas del siglo XVIII y primeros años del XIX, se produce en lugares y momentos de honda crisis económica y malestar social; Jaime el Barbudo, Los Siete Niños de Ecija, Jose María el Tempranillo y Diego Corrientes, permanecen en la memoria popular a través de los *Romances* y *Las Coplas*, como prototipos románticos, "Diego Corrientes yo soy, / aquel que a nadie temía"; hombres audaces que roban a los ricos y socorren a los pobres, "con lo que a los ricos roba / a los pobres favorece / nada en el mundo le ahoga / y todo se lo merece"; contra los que la justicia, hasta la creación de la guardia civil, poco podía. Ofrecen la imagen del bandido bueno y valeroso, opuesto al criminal despiadado. JUAN CABALLERO relata sus hazañas en *Historia verdadera y real de la vida y hechos notables de Juan Caballero escrita a la memoria por él mismo* (siglo XIX, publ. 1977). MANUEL FERNANDEZ Y GONZALEZ novela la vida de Diego Corrientes, a finales del siglo XIX. Los *Romances de ciegos*, difundidos en los *Pliegos de Cordel*, recogen también los asaltos, robos y asesinatos en los medios urbanos, dibujados con tintes truculentos y efectistas. Todavía reaparece el personaje del bandolero en 1929, con *Luis Candela, el bandido de Madrid*, de ANTONIO ESPINA; y TOMAS SALVADOR cuenta la historia de el Sacamantecas en *Cuerda de Presos* (1953); Juan Díaz de Argandaña, acusado de siete crímenes, es detenido por la guardia civil y conducido por los caminos durante once días hasta el penal. Las nuevas condiciones de la sociedad industrial han hecho surgir un nuevo tipo de delincuencia. El mismo Tomás Salvador, en *Los atracadores* (1955), muestra cómo la falta de aliciente y la marginación lleva a tres jóvenes, Cachas, Chico Ramón y el Señorito, de clases sociales diferentes, al robo y al homicidio. En *Los perros mueren en la calle* (1961) de JOSE MARIA CASTILLO-NAVARRO Mario y Andrés, obreros, sin perspectivas de poder salir de la miseria, se convierten en atracadores. El Muecas, en *Tiempo de silencio* (1962), de LUIS MARTIN-SANTOS, bordea los límites de la delincuencia con hurtos y engaños que le ayudan a sobrevivir. La marginación social, determinante de la delincuencia, está presente en la obra de teatro de JOSE MARIA

RODRIGUEZ MENDEZ, en *Los Quinquis de Madrid* (1967). Manolo, en *La oscura historia de la prima Montse* (1970) de JUAN MARSE, está preso por delitos comunes, no se sabe de qué índole, pues la enamorada Montse nunca se lo pregunta. Daniel, el Roto, en *A salto de mata* (1981) de JOSE ANTONIO GABRIEL Y GALAN, es un delincuente juvenil de dieciséis años, en el Madrid de principios de los años setenta. *Homenaje a Kid Valencia* (1989), de JAVIER MEMBA, introduce en la dura vida, y muerte, de la delincuencia.

* * *

Se puede completar el análisis con: J. CARO BAROJA, *Romances de ciego* (recop. por 1966), *Ensayo sobre la literatura de Cordel* (1969). J. MARCO, *Literatura popular en España en los siglos XVIII y XIX* (1977). I. SEGURA, *Romances horrorosos* (ed. de 1984). E. MARTINEZ RUIZ, "Los temas de seguridad pública en la prensa y la literatura de la Ilustración" en *Seguridad pública en el reinado de Carlos III* (1989).

Ver **Cárcel, pícaro.**

13. DEMONIO

El ángel rebelde, el espíritu maligno que acompaña y tienta al hombre para torcer su destino hacia el mal, es un personaje que aparece fundamentalmente en el teatro por la fuerza dramática que representa. Encarna la difícil situación del hombre en el mundo dividido entre el bien y el mal. Permite aflorar, en forma de tentación, las pasiones y deseos ocultos, dar cuerpo a los bajos instintos y formular los pensamientos recónditos. Plasmar la lucha del hombre consigo mismo.

ANTONIO MIRA DE AMESCUA escenifica la leyenda de Fray Gil de Santarem en *El esclavo del demonio* (1612), Don Gil vende su alma al demonio —Angelio— para conseguir a Leonor, pero su ángel de la guarda combate y vence al diablo, salvando así a Don Gil. En *El condenado por desconfiado* (1635) de TIRSO DE MOLINA, el demonio, en forma de ángel, predice el fin del ermitaño Paulo, sumiéndole en la desesperación. Influido por Mira de Amescua, PEDRO CALDERON DE LA BARCA recoge la leyenda de San Cipriano y Santa Justina en *El mágico prodigioso* (1637): Cipriano firma un pacto con el diablo por amor a Justina, posteriormente se convierten al cristianismo y mueren mártires. LUIS VELEZ DE GUEVARA utiliza la figura del demonio para hacer un recorrido satírico por España en *El diablo cojuelo* (1641). Fuso Negro, en *Cara de plata* (1924), de las *Comedias bárbaras* de RAMON DEL VALLE INCLAN, encarna la lujuria, la locura, y personifica, a la vez, al diablo. La comedia de ENRIQUE JARDIEL PONCELA, *Las cinco advertencias de Sa-*

tanás, retoma de forma humorística al personaje, Leonardo, del que sólo se oye la voz, no tiene apariencia física. ALEJANDRO CASONA escribió en 1927 –aunque no se estrenó hasta 1935– *Otra vez el diablo*, "cuento de miedo en tres jornadas y un amanecer", en el que plantea un conflicto de tipo moral. En *La barca sin pescador* (1945), presenta Casona el pacto de Ricardo con el diablo, el Caballero de Negro, para salvar la situación apurada de sus negocios. Pero la salvación vendrá por el amor de Estela. La novela contemporánea aborda también este tema: ALVARO CUNQUEIRO lo hace de una forma fantástica y no sin un toque de ironía en *Merlín y familia* (1957), Cobillón, de la historia "La novela de Mosiú Tabarie", es "el demonio perfumista y perfumador, gran burlador, que engañó a una viuda en Soria con palabra de matrimonio"; en *Las crónicas del Sochantre* (1959), monsieur Salomón Capitán "era un demonio de cuantía". Y desde una óptica totalmente diferente lo plantea GONZALO TORRENTE BALLESTER en *Don Juan* (1963). Aquí el diablo es Leporello, criado de don Juan, al que ha poseído el Garbanzo negro, fiel acompañante de su amo en sus andanzas amorosas desde hace trescientos años, culto y gran conversador. Torrente Ballester propone un juego de fe, "si alguien me cree el diablo, seré verdaderamente el diablo...", dice Leporello; la *Crónica del rey pasmado* (1989) esconde, en la persona del conde de la Peña Andrade, un demonio que interviene en la vida de la corte y del propio rey reconduciendo los acontecimientos. En *Retrato de una bruja* (1970) de LUIS CASTRESANA, el demonio –esta vez de forma real–, el Señor de la noche, hace su aparición en los aquelarres de las brujas.

* * *

Puede apoyar el conocimiento de este tema: J. BERGAMIN, *La importancia del demonio y otras cosas sin importancia* (1974). J. ALVEAR, *Historia del demonio* (1975).

Ver **Brujas, fantasía, magia.**

14. DESTINO

El hombre se caracteriza por estar en una situación, en una condición, que implica finitud y contingencia. Los interrogantes sobre su destino: escrito en las estrellas o creado por su propia voluntad, han encontrado en la ficción literaria uno de los vehículos más idóneos. Fatalidad, fortuna, encadenamiento de hechos considerados como necesarios, fuerzas que determinan lo que ha de suceder, entretejen la vida de los personajes que, aun desde el mismo nacimiento, están marcados por el hado. La pregunta fundamental que subyace es el sentido de la existencia, ·es responsable el hombre de su destino o le viene dado.

Algunos de los grandes personajes literarios han visto su existencia encadenada a sucesos que escapan a su control, el azar, el fatum, es el que conduce sus pasos hacia un destino, generalmente aciago, rompiendo así la ordenación del mundo medieval que permitía conocer de antemano el efecto de las acciones. Pleberio confiesa en la *Tragicomedia de Calisto y Melibea* (¿1499?-1500) de FERNANDO DE ROJAS, "agora... me parece un laberinto", refiriéndose a la fortuna. La fortuna variable "combate" no sólo a Calisto, sino también a Melibea, a Celestina y los criados, llevándolos a la muerte. En *El caballero de Olmedo* (1620-1625), de LOPE DE VEGA, la presencia anticipada de la muerte rige de forma inexorable el destino del caballero; el fin está determinado, nada podrá impedir su cita con la muerte, que le espera. La fatalidad está también presente en otra comedia de Lope, *Contra el valor no hay desdicha* (póst. 1638), los presentimientos funestos so-

52

bre Ciro determinan que se le mande matar al nacer; escondido consigue vencer a los hados adversos. PEDRO CALDERON DE LA BARCA, en *La vida es sueño* (1631-1632), plantea la libertad del hombre frente a las influencias cósmicas que predeterminan el destino de Segismundo. En *La hija del aire* (1636), Semíramis, como Segismundo, vive encerrada para evitar que se cumplan los hados; cuando decide desobedecer a los dioses comienza a cumplirse el hado y el destino acaba derrotándola. La tesis de Calderón en *El gran teatro del mundo* (hacia 1645) es que el hombre debe aceptar su destino, cumplir bien el papel asignado para alcanzar el premio. En *El dueño de las estrellas* (1634), de JUAN RUIZ DE ALARCON, el protagonista intenta forzar el destino luchando con las estrellas, pero acaba vencido por la muerte. Nuño Aulaga, en *La crueldad por el honor* (1634), pretende también controlar su destino tomando otra identidad, pero acaba igualmente destruido. En *El condenado por desconfiado* (1635), de TIRSO DE MOLINA, Paulo, ante el misterio de la salvación y la condenación, quiere tener una prueba de su destino; la misma duda le conducirá a la reprobación. Don Alvaro, en *Don Alvaro o la fuerza del sino* (1835) del DUQUE DE RIVAS, se siente víctima de un destino aciago que le ha llevado a matar al padre de su amada, al hermano de ésta, a provocar la muerte de Leonor, y que, por fin, le ha conducido a él a la desesperación del suicidio. Las estrellas han marcado su existencia y nada puede contra ellas, "¿a qué oponernos a lo que buscaron ellas?". Un destino desgraciado persigue, también, a los amantes de *El lago Carucedo* (1840) y de *El señor de Bembibre* (1844) de ENRIQUE GIL Y CARRASCO. El destino de Manrique en *El rayo de luna* (1862), del Capitán en *El beso* (1863) y de Garcés en *La corza blanca* (1863), *Leyendas* (publ. póst. 1871) de GUSTAVO ADOLFO BECQUER, es la búsqueda de lo inasible, lo inalcanzable, que les conducirá, irremisiblemente, a la locura y a la muerte. La herencia y el determinismo social pueden ser factores que condicionen la conducta humana, como muestra **BENITO PEREZ GALDOS** en *Lo prohibido* (1884-1885). La muerte hechiza y fascina a Gaspar, en *La sirena negra* (1908) de **EMILIA PARDO BAZAN**, pero un destino superior impide que ceda a ella. Andrés Hurtado, el protagonista de *El árbol de la ciencia* (1911) de **PIO BAROJA**, busca angustiado el norte de su vida, el destino que dé razón al sin sentido de su existencia; Juan Aguirre, en *Las inquietudes de Shanti Andia* (1911), es víctima del destino en su azarosa vida. El sentido trágico preside la existencia de Augusto Pérez, en *Niebla* (1914) de **MIGUEL DE UNAMUNO**; su relación amorosa es consecuencia de una sucesión de hechos arbitrarios que Augusto no puede controlar, lo mismo que es inútil que pretenda dominar y conducir su propia muerte; la rebelión contra el destino se presenta como perfectamente inútil. El querer ser de Joaquín Monegros, en *Abel Sánchez* (1917), se revela también ineficaz, el Caín no puede escapar de su personalidad maligna. Años después, Unamuno muestra a U. Jugo de la Raza, en *Cómo se hace una novela* (1927), emplazado a morir cuando termine de leer la novela que acaba de comenzar; su propia existencia no es obra propia. Julio, en *Lo rojo y lo azul* (1932), de **BENJAMIN JARNES**, está obsesionado por la idea de que lo que se vive en cada momento no es sino la preparación de lo que vendrá inexorablemente. Pascual, en *La familia de Pascual Duarte* (1942) de **CAMILO JOSE CELA**, aparece perseguido por un fatal encadenamiento de circunstancias que le llevan al crimen y, como consecuencia, a su propia muerte. La percepción del vacío de la propia vida es el destino de Pablo Cossío en *La gota de mercurio* (1954) de **ALEJANDRO NUÑEZ ALONSO**; nada parece poder arrancarle de la angustia y soledad radical en la que se halla sumido. El destino, el azar, en la literatura contemporánea, se convierte, en gran parte, en colectivo; es la sociedad la que se interroga por el devenir con una protesta implícita por el incierto destino del hombre, como afirma BLAS DE OTERO en *Ancia* (1958), "Unos hombres sin más destino que apuntalar las ruinas". Los jóvenes excursionistas de *El Jarama* (1956), de RAFAEL SANCHEZ FERLOSIO, parecen encontrarse lejos de cualquier supuesto trágico, sin embargo, el encadenamiento de sucesos les conducen, sin ellos saberlo, a encararse con el fatum. La decepción por el destino colectivo, reflejo de la catástrofe individual, es patente en *Aspero mundo* (1956) de ANGEL GONZALEZ. El fracaso del destino individual y colectivo se evidencia también en *Tiempo de silencio* (1962) de JESUS MARTIN-SANTOS; Pedro, como toda la sociedad, se resigna al silencio. La afirmación de Leporello en *Don Juan* (1963), de GONZALO TORRENTE BALLESTER, "cuando nace un hombre, en el acto de nacer, están contenidos todos los actos de su vida, incluida la muerte (...) elegirá lo que necesariamente le corresponda", remite a la vieja controversia de la predestinación. Dos personajes, tomados de la ficción literaria clásica, intentan cambiar el destino en el que fueron concebidos por sus autores: Orestes, en *El hombre que se parecía a Orestes* (1969) de ALVARO CUNQUEIRO, pretende "desentenderse del asunto", que no es otro que cumplir su propio destino de vengador de su padre Agamenón. Jimena, en *Anillos para una dama* (1973) de ANTONIO GALA, también quiere salirse de la historia que le impone el destino de afligida viuda del Cid. FERNANDO SANCHEZ DRAGO, en *Eldorado* (escr. 1960, publ. 1984), presenta la insumisión frente al destino de una generación, la de 1956.

* * *

Se puede consultar: E. R. BERNDT, *Amor, muerte y fortuna en "La Celestina"* (1963). R. ARIAS Y ARIAS, *El concepto de Destino en la literatura medieval* (1970). J. D. MENDOZA NEGRILLO, *Fortuna y Providencia en la literatura castellana del siglo XV* (1973). G. ROBERTS, *Te-*

mas existenciales en la novela española (1973). O. BARRERO PEREZ, *La novela existencial española de posguerra* (1987).

Ver **Locura, suicidio.**

15. DIOS

La presencia del Ser Supremo, el Creador, Dios, es una constante de la poesía española. Raro es el autor que no aborda, en una u otra ocasión, la transcendencia del hombre y su relación con la divinidad, bien sea a través del diálogo del creyente, de la búsqueda, de la protesta o, incluso, de la negación. El poeta necesita explicarse el sentido de la vida, su fin último, y para ello invoca a Dios, le cuestiona, le increpa, le da gracias o le alaba.

PEDRO LOPEZ DE AYALA, en *Rimado de Palacio* (1378-1385), ruega a Dios que le socorra y le libre de sus enemigos. PEDRO ESPINOSA en *Psalmo* (fin siglo XVI-principio siglo XVII), le pregunta: "¿dónde te hallaré?", "¿dónde te escondes?". En el célebre poema anónimo (siglo XVI-siglo XVII), *No me mueve, mi Dios, para quererte*, el poeta inflamado exclama "muéveme tu amor". La poesía Mística, reseñada en su lugar, explicita durante siglo y medio la unión íntima del hombre con Dios. La poesía de la Ilustración no llega a poner en duda la fe sencilla; para JUAN MELENDEZ VALDES, en *Poesías* (póst. 1820), Dios es el Padre creador que da sentido al todo. GUSTAVO ADOLFO BECQUER, en las *Rimas* (1859-1868, publ. póst. 1871), se debate entre la duda y la seguridad; se pregunta de dónde viene y a dónde va, se siente saeta voladora perdida al azar; pero sus ansias de infinito le llevan a constatar, "que yo llevo algo divino aquí dentro". También ROSALIA DE CASTRO, *En las orillas del Sar* (1884), oscila entre la duda y la fe/esperanza, su fe en Dios es, a veces, más bien una exaltación sentimental. MIGUEL DE

UNAMUNO durante toda su vida, tanto en su obra poética, *El Cristo de Velázquez* (1920), *Diario poético* (1928-1936, publ. póst. 1953), como en prosa, *Del sentimiento trágico de la vida* (1913), *San Manuel bueno y mártir* (1933), plantea la lucha interior del hombre para llegar a Dios. La razón es enemiga de la fe, y en el *Diario íntimo* (publ. 1970), el autor busca un asidero en el corazón como solución a su eterna lucha, ya que Dios, como grita en el *Salmo I*, es "¡Dios del silencio!". ANTONIO MACHADO en *Soledades* (1903) y en *Proverbios y cantares*, de *Campos de Castilla* (1912), busca a Dios, pero Dios es, en definitiva, una creación del poeta, una pura ilusión, un sueño, "pobre hombre en sueños siempre buscando a Dios entre la niebla". JUAN RAMON JIMENEZ, después del misticismo juvenil de las *Pastorales* (1911), en las que humildemente exclama: "Lo que Vos queráis, Señor; sea lo que Vos queráis", se concentra en sí mismo, "Dios, ya soy la envoltura de mi centro, de ti dentro", en *Dios deseado y deseante*, del libro *Animal de fondo* (1949). La necesidad de la compañía de Dios de LEON FELIPE, en *Versos y oraciones de caminante* (1920), se hace desgarrada búsqueda en *Antología rota* (1947), el poeta en su ininterrumpido clamor se muestra insolente en ocasiones y manso y humilde en otras. En *Abril del alma* (1943), JOSE ANTONIO MUÑOZ ROJAS da gracias al Señor por todo, "por darme y no darme; por lumbre, por ribera". LUIS CERNUDA, en *Las nubes* (1943), confiesa a la mitad de su vida, "mi sed eras tú, tú fuiste mi amor perdido". LEOPOLDO PANERO, en *La estancia vacía* (1944), y en *Escrito a cada instante* (1949), invoca desde el fondo de su soledad a Dios, "Señor, dime quién eres", "mi corazón, Dios mío, sueña que tú lo ves". Para VICENTE GAOS, en *Arcángel de mi noche* (1944), *Profecía del recuerdo* (1956) o *Mitos para tiempos de incrédulos* (1964), Dios da sentido al universo, colma las ansias de eternidad del corazón. En *Subida al amor* (1945), CARLOS BOUSOÑO se encuentra a solas

58

con Dios en el reposo y la paz honda de la noche. JOSE MARIA VALVERDE, en *Hombre de Dios* (1946) y *Salmos, elegías y oraciones* (1947), habla de la visión de Dios entre sombras, de un Dios que sostiene infatigable a sus hijos, sin olvidarse de ninguno, "acudes de uno en otro". JOSE LUIS HIDALGO, en *Los muertos* (1947), llama ansiosamente a Dios, "en la noche te busco", "tú me escuchas y te hablo", reconoce "que si he nacido es porque El quiere que así sea". Para LUIS ROSALES, en *La casa encendida* (1949), Dios es la presencia que da vida en el amor y en el dolor, por ello se inclina ante su voluntad e implora misericordia. BLAS DE OTERO, en *Angel fieramente humano* (1950) y *Redoble de conciencia* (1951), se queja amargamente del silencio de Dios y busca, en lucha con El, una respuesta, una explicación al mal del mundo. Toda la poesía de JOSE GARCIA NIETO, como *Tregua* (1951), *La red* (1955), *La hora undécima* (1963) y *El arrabal* (1980), recoge la llamada de Dios, el hombre responde con un "gracias Señor", con una actitud de entrega y acogida: "Te miro; me miro. Hablo; te oigo. Busco; me aguardas." En *Hombre y Dios* (1955), DAMASO ALONSO muestra al hombre en una situación espiritual límite, frente a Dios; "¡Ah, pobre Dámaso!", pero, "¿cómo no amarte, oh, Dios mío?". En *País de la esperanza* (1955), RAFAEL MONTESINOS se queja de que Dios esté sordo a sus ruegos. ALFONSO CANALES, en *El candado* (1956), busca al Señor que está en todo y sobre todo y por debajo de todo. MARIA ELVIRA LACACI, en *Sonido de Dios* (1962), adopta un tono coloquial para dirigirse a El, desea hacer a Dios cercano, humano, para escuchar sus palabras. VICTORIANO CREMER, en *Tiempo de soledad* (1962), da gracias a Dios por lo que le ha dado, "casi nada o casi todo". JUAN JOSE DOMENCHINA, en *La sombra desterrada, 1948-1950* (1969) y *Poesía, 1942-1958* (1975), rastrea con ansia las huellas de Dios. GERARDO DIEGO, en *Versos divinos* (1971), expresa su experiencia gratificante de Dios, "yo te he visto", quiere creer y le ruega que le infunda fe para "volverte a ver". En la *Antología, 1952-1972* (1973) de CARLOS MURCIANO, es el propio Dios el que espera y busca al hombre, "puedes olvidarte de mí, pero aquí estoy hasta que se derrumben tus paredes".

* * *

La riqueza temática en el siglo XX ha suscitado algunas selecciones antológicas: *Antología de poesía religiosa (1939-1964)*, sel., pról. y notas de LEOPOLDO DE LUIS. *Antología de la poesía española del siglo XX* (1964), a cargo de EMILIO DEL RIO. *Dios en la poesía actual* (1976), sel. e introd. de ERNESTINA CHAMPOURCIN.

Se puede consultar: R. RICARD, *Estudios de la literatura religiosa española* (1964). A. VALBUENA PRAT, *Estudios de Literatura religiosa española. Epoca Medieval y Edad de Oro* (1964). CH. MOLLER, "Miguel de Unamuno y la esperanza desesperada", en *Literatura del siglo XX y cristianismo*, tomo IV (1974). E. DEL RIO, *La idea de Dios en la Generación del 98* (1970). P. M. LAMET, *El dios sin dios de la poesía contemporánea* (1970).

Ver **Mística**.

16. DONJUANISMO

Don Juan es un personaje legendario por el que se van a sentir atraídos numerosos escritores. Reúne en su figura un doble aspecto: el libertino que bromea sin respeto con los muertos, y el burlador de quien invariablemente se enamoran las mujeres. Don Juan mantiene un duelo enigmático, una tentación o atracción sobre las mujeres, un desafío constante a la sociedad. Postula el principio de su capacidad de seducción, de atraer a los otros seres. De algún modo, la seducción es su destino, del que sólo se librará —no en todas las obras— a través del amor de doña Inés. Algunos autores no han podido resistir el deseo de caricaturizar y burlarse del burlador en sus obras, dándole un tratamiento cómico.

El infamador (1581) de JUAN DE LA CUEVA es para algunos críticos un precedente de don Juan, pero lo único que tiene en común con este personaje es su amor por las mujeres; Leucino es un hombre vulgar, amante sobre todo del dinero. El drama de TIRSO DE MOLINA El burlador de Sevilla (1613, publ. 1630), será el modelo de las versiones posteriores; don Juan es el prototipo de la deshonra, incapaz de amor y gallardía sucumbe a la justicia divina. En el siglo XVIII recoge este tema ANTONIO ZAMORA en No hay plazo que no se cumpla ni duda que no se pague y Convidado de piedra (hacia 1722). El Romanticismo, con JOSE ZORRILLA en Don Juan Tenorio (1844), populariza al personaje al presentarle como el gran enamorado de doña Inés, sin orgullo satánico, dispuesto a alcanzar la salvación a través del arrepentimiento y el amor. ADE-

LARDO LOPEZ DE AYALA, en la comedia *El nuevo don Juan* (1863), pone en ridículo al tenorio moderno al triunfar el marido sobre el burlador. El siglo XX no olvidará tampoco esta figura, así los hermanos SERAFIN y JOAQUIN ALVAREZ QUINTERO, hacen una imitación jocosa del personaje en *Papá Juan centenario* (1909): don Juan es un cumplido caballero centenario que dirige a su numerosa descendencia. JACINTO GRAU, en *Don Juan de Cariñana* (1913), hace una pequeña sátira, y continúa en la misma línea en *El burlador que no se burla. Tragicomedia* (1930). JOSE MARTINEZ RUIZ, AZORIN, crea en *Don Juan* (1922) y *Doña Inés* (1925), la atmósfera de sus personajes y lugares, eludiendo la acción. *Don Luis Mejía* (1925) de EDUARDO MARQUINA y ANTONIO HERNANDEZ CATA, es un intento poco convincente de convertir en personaje central a un personaje secundario; don Luis, a diferencia de don Juan, se enamora de las mujeres a las que trata de seducir. ANTONIO y MANUEL MACHADO retoman la figura del licencioso y arrepentido personaje sevillano en la obra de teatro *Don Juan de Mañara* (1927). En la comedia de ENRIQUE JARDIEL PONCELA, *Usted tiene ojos de mujer fatal* (1932), el caballero renuncia al donjuanismo porque se enamora de verdad. MIGUEL DE UNAMUNO, en *El hermano Juan o el mundo es teatro* (1934), da su visión personal del viejo mito: don Juan se está representando teatralmente a sí mismo, es seductor por falta de capacidad de amar y se pregunta, ¿existo fuera del teatro? SALVADOR DE MADARIAGA, en *La don Juanía, o Seis donjuanes y una dama* (1950), reúne en el drama a los autores, españoles y extranjeros, Tirso, Molière, Byron, Zorrilla, Mozart y Pushkinovich, que han creado los más destacados tenorios de todos los tiempos. GONZALO TORRENTE BALLESTER, en la novela *Don Juan* (1963), escrita en un "empacho de realismo", presenta a un Tenorio que después de tres siglos sigue viviendo en París, víctima de su propio pecado de desamor y que, para existir, no necesita sino que el lector crea en él. ALFREDO MAÑAS en *Don Juan* (1966), traslada, como dice el propio autor, el mito a un ambiente popular. RAMON J. SENDER presenta en *Don Juan en la mancebía. Drama litúrgico* (1968), la soledad de un don Juan que envejece víctima de su destino. LUIS RIAZA, en *La representación de Don Juan Tenorio por el carro de las meretrices ambulantes* (1971), parodia el mito de don Juan y sus interpretaciones históricas. *Ardor con ardor se paga (Visita nocturna de Don Juan a Tirso, en el convento mercedario de Trujillo, el ocho de agosto de mil seiscientos veintiséis)* (1985) de JOSE RICARDO MORALES, ofrece una visión teatral moderna y lúcida del conflicto de don Juan.

Además de las obras que abordan directamente, y con nombre propio, a Don Juan, hay otras en las que el personaje retratado presenta las mismas características, y así lo dice a veces el propio autor del Tenorio. Se pueden citar: Félix de Montemar, en *El estudiante de Salamanca* (1837) de JOSE DE ESPRONCEDA; Alvaro Mesía, en *La Regenta* (1884) de LEOPOLDO ALAS, *CLARIN*; Don Lope, en *Tristana* (1892) de BENITO PEREZ GALDOS; el Marqués de Bradomín, en las *Sonatas* (1902-1905), y Juanito Ventolera, en *Las galas del difunto* (1926) de RAMON DEL VALLE INCLAN; Vespasiano, en *El curandero de su honra* (1926) de RAMON PEREZ DE AYALA.

* * *

No sólo la creación literaria se ha ocupado de don Juan, los estudios y ensayos sobre el Donjuanismo son muy numerosos: V. SAID ARMESTO, *La leyenda de Don Juan* (1908). R. MENENDEZ PIDAL, "El convidado de piedra", en *Estudios literarios* (1920). G. MARAÑON, *Biología de don Juan* (1924), *Don Juan. Ensayos sobre el origen de su leyenda* (1940). R. DE MAEZTU, *Don Quijote, don Juan y la Celestina* (1926). G. MARTINEZ SIE-

RRA, *Don Juan de España* (1927). A. CASTRO, *El don Juan de Tirso y el de Molière como personajes barrocos* (1939). J. ORTEGA Y GASSET, *Estudios sobre el amor* (1940). P. SALINAS, "El nacimiento de don Juan", en *Ensayos de literatura hispánica*. J. BERGAMIN, *Lázaro, Don Juan y Segismundo* (1959). A. BAQUERO, *Don Juan y su evolución dramática (El personaje teatral en seis comedias españolas)* (1966). M. AUB, "Hércules y Don Juan", en *Prueba* (1967). Y. PARRA, *Monstruos domésticos* (1973). A. RODRIGUEZ LOPEZ VAZQUEZ, *Andrés de Claramonte y "el burlador de Sevilla".* J. CASALDUE-RO, *Contribución al estudio de "Don Juan" en el teatro español* (1975). R. FAIRELLE, *Don Juan* (1975). G. LAFO-RA, *Don Juan, los milagros y otros ensayos* (1975). A. PRIETO, "La función mítica y El burlador de Sevilla", en *Estudios de literatura europea* (1975). AA. VV., *Don Juan, hoy* (1978).

17. EDUCACION

La necesidad de instruir o adoctrinar, de educar y formar a la niñez y la juventud ha sido objeto, no sólo de ensayos pedagógicos, sino que, incluso, se ha tratado desde las obras de ficción, bien enseñando por medio de apólogos y ejemplos, o proponiendo métodos, criticando sistemas, fabulando situaciones. Indudablemente en cada obra, en cada autor, subyace una determinada concepción del mundo que va más allá del mero didactismo.

Don JUAN MANUEL, en el *Libro de los Estados* (hacia 1330), expone la educación de un príncipe a través de las preguntas que hace a su maestro. En *El Conde Lucanor* (1330-1335), los ejemplos, a modo de cuento, del ayo tienen una clara intención didáctica y moralizadora. Los *Proverbios de gloriosa doctrina e fructuosa enseñanza* (hacia 1437) del MARQUES DE SANTILLANA, son máximas escritas a petición de Juan II para guiar la conducta del príncipe don Enrique. El fin de la obra, *Examen de ingenios para las ciencias* (1575) de JUAN HUARTE DE SAN JUAN, es dar a conocer las aptitudes naturales de cada uno para determinados estudios. El siglo XVIII, el siglo educador por excelencia, dedica gran parte de su producción a criticar la mala educación y a proponer medidas reformadoras que homogenicen el proceso español con el europeo, clamando por las artes útiles y las ciencias prácticas frente al anquilosamiento del saber escolástico. JOSE CADALSO, en *Los eruditos a la violeta* (1772), ridiculiza la erudición superficial y propone un "Curso completo de todas las ciencias". En las *Cartas Ma-*

rruecas (póst. 1789), se duele del poco aprecio por la cultura e irónicamente retrata al padre que prefiere tener un hijo tonto para que así triunfe en la vida. PEDRO RODRIGUEZ CAMPOMANES propugna la educación como base del progreso económico en *Discurso sobre la educación de los artesanos y su fomento* (1775). La novela filosófica del Padre PEDRO MONTENGON, *Eusebio* (1786), defiende una educación que no fuerce la voluntad, desarrollando la idea roussoniana del influjo benéfico de la naturaleza en el perfeccionamiento de la razón. GASPAR MELCHOR DE JOVELLANOS es el autor más prolífico, convencido como estaba de que la reforma de la educación era la clave para transformar la sociedad, de que "un pueblo que se educa puede hacer grandes reformas sin sangre"; así escribió: *Sobre la necesidad de cultivar en el Principado el estudio de las ciencias* (1782), *Memoria sobre el arreglo de la policía de Espectáculos y diversiones públicas* (1790, publ. 1812), *Plan de educación de la nobleza* (1798), *Tratado teoricopráctico de enseñanza* (1802-1808), publ. póst. 1813), influido por el sensismo y racionalismo de la Enciclopedia, y *Bases para la formación de un plan general de instrucción pública* (1811). En el siglo XIX, MARIANO JOSE DE LARRA no es tampoco ajeno a la preocupación por el sistema educativo, presentando una visión desoladora de la educación en España en los *Artículos,* como *El casarse pronto y mal* (1832) y *La educación de entonces* (1834). En la novela costumbrista de CECILIA BOHL DE FABER, FERNAN CABALLERO, *La Gaviota* (1849), aparece ya una escuela rural de niñas, la "amiga", frente a las "academias" de zonas urbanas, que se propone hacer "mujeres hacendosas y excelentes madres de familia"; mientras que CONCEPCION ARENAL, en *La condición de la mujer en España* (1892), acomete la defensa de la mujer, señalando la necesidad ineludible de instrucción. BENITO PEREZ GALDOS da una visión pesimista en *El amigo Manso* (1882), a través de Máximo Manso, profesor de instituto, desprendido e idealista, al servicio de los demás, pero que ve fracasar una pedagogía que choca con el prosaísmo de la vida práctica. El siglo XX se inicia con una farsa –novela/ensayo– de MIGUEL DE UNAMUNO, *Amor y pedagogía* (1902), que intenta ridiculizar la pedagogía científica y, en general, el optimismo del positivismo europeo de finales del siglo XIX. RAMON PEREZ DE AYALA, en *Luna de miel, luna de hiel* y *Los trabajos de Urbano y Simona* (1923), aborda la educación sexual, señalando los vicios en que se puede caer por querer negar o sublimar las leyes de la naturaleza. ALEJANDRO CASONA crea en *Nuestra Natacha* (1936), una fábula pedagógica; a través del drama, en un Colegio Mayor y un centro comunitario, Casona culpa a la sociedad, y no al sistema educativo, de los males que acaecen. Años más tarde, en otra obra de teatro, *La tercera palabra* (1953), vuelve a la fábula para mostrar cómo la naturaleza –Pablo, hombre primitivo– se alía con la pedagogía –Marta, la maestra– a través y por medio del amor. GONZALO TORRENTE BALLESTER, en una novela escrita en 1951 y publicada treinta años más tarde, *La princesa durmiente va a la escuela* (1983), demuestra en una narración maravillosa las implicaciones sociales, políticas y religiosas de la educación. JOSE LUIS SAMPEDRO critica en *La sonrisa etrusca* (1985), la educación fría y artificial, pedagógica o pseudo pedagógica, apostando por el amor.

* * *

Los estudios se centran fundamentalmente en los autores del siglo ilustrado. M. A. GALINO CARRILLO, *Los tratados sobre educación de príncipes* (siglos XVI y XVII) (1948); *Tres hombres y un problema. Feijoo, Sarmiento y Jovellanos ante la educación moderna* (1953). C. S. AMOR, *Ideas pedagógicas del P. Feijoo* (1950). J. LLOPIS y M. V. CARRASCO, *Ilustración y educación en la España del siglo XVIII* (1983).

Ver **Estudiante**.

18. EMIGRACION

La necesidad de vivir fuera del país de origen, en unas ocasiones, o de ausentarse del pueblo y la región propia, no ya por motivos políticos, sino económicos, ha creado en el siglo XX la figura del emigrante, que ha sido recogida fundamentalmente por la novela realista. Ya Rosalía de Castro se dolía en Cantares gallegos *(1863), de la situación de los gallegos que debían ir a buscar el pan fuera de su tierra, a Castilla.*

JOSE M.ª CASTILLO NAVARRO, en *Con la lengua fuera* (1957), plantea en un relato dramatizado la emigración interior; los campesinos de un pueblo de Murcia se ven forzados por la injusticia —falta de agua— a abandonar el pueblo. Lorenzo, en *Diario de un emigrante* (1958) de MIGUEL DELIBES, marcha a América en busca de fortuna. *La piqueta* (1959) de ANTONIO FERRES, y *La patria y el pan* (1962), de RAMON NIETO, presentan el desarraigo de los campesinos andaluces y la difícil incorporación al suburbio industrial de la gran ciudad, Madrid. *Ajena crece la hierba* (1962) de RAMON SOLIS, presenta a los emigrantes temporeros al sur de Francia. MARIANO TUDELA habla sobre la situación de los emigrantes en Alemania, en *Tierra de promisión* (1963). ANGEL M.ª DE LERA refiere la tragedia de la emigración laboral a Alemania y las condiciones de vida de los emigrantes en *Hemos perdido el sol* (1963) y *Con la maleta al hombro* (1965). En *Tierra para morir* (1964), aborda Lera la situación en la que quedan los pueblos como consecuencia de la emigración. *Equipaje de amor para la tierra* (1965) de RO-

DRIGO RUBIO, es el triste monólogo de una madre que va a Alemania a recuperar el cadáver de su hijo emigrante. RAUL GUERRA GARRIDO narra las dificultades del emigrante para integrarse en el país vasco, en *Cacereño* (1969). El teatro también ha incorporado el fenómeno de la emigración. LAURO OLMO representa en *La Camisa* (1960), la desesperada búsqueda de trabajo de Juan, que se niega inútilmente a emigrar, pese a la miseria en que vive su familia, y en *English Spoken* (1967), el regreso de la emigración. JOSE M.ª RODRIGUEZ MENDEZ en *La batalla de Verdún* (1961) dramatiza el desarraigo de los inmigrantes en Barcelona, y en *La vendimia en Francia* (1964) las penalidades de los temporeros.

* * *

Puede completarse el estudio de la emigración con: L. A. MARTINEZ CACHERO, *La emigración española ante el desarrollo económico y social* (1965), *La emigración española a examen* (1969). Y, últimamente, desde un punto de vista sociológico se han analizado los problemas que la recesión económica ha provocado en la emigración: J. A. GARMENDIA, *La emigración española en la encrucijada* (1981). J. CAZORLA, *Emigración y retorno, una perspectiva europea* (1981).

19. EROTISMO

La expresión del amor sensual es una constante en la literatura española desde sus inicios hasta nuestros días. La forma de concebir la relación amorosa y los tabúes morales y sociales han determinado la estética de cada época; el símbolo, la metáfora, esconden, en ocasiones, un contenido sexual que va desde el beso y las caricias hasta la entrega total. El poeta vela también, a veces, las descripciones del cuerpo, dotando de cierta ambigüedad lo que pudiera resultar excesivamente crudo. Pero, en cualquier caso, el deslumbramiento, el deseo y el encuentro y entrega de los amantes está presente.

Las *Jarchas* (siglos XI-XII), cancioncillas mozárabes puestas en boca de muchachas enamoradas, son la primera muestra lírica en lengua romance y la primera aproximación erótica. El *Libro de Buen Amor* (primera mitad siglo XIV), de JUAN RUIZ, Arcipreste de Hita, cuenta los amores de don Melón y doña Endrina, y describe el cuerpo femenino. En los *Romances de tradición carolingia* (Doña Alda, Gerineldo, Conde Claros), o en los *Novelescos* (La hija del rey de Francia, De una gentil dama y un rústico pastor, La bella maridada, La doncella que fue a la guerra), aparece el juego de la seducción amorosa, lleno de picardía sensual. Alguno de los *Sonetos* (póst. 1543) de GARCILASO DE LA VEGA, como "En tanto que de rosa y azucena", el cabello, que debía estar cubierto, se deja ver por el hermoso cuello. En los *Sonetos* (segunda mitad siglo XVI) de FRANCISCO DE ALDANA, el erotismo se insinúa al final del poema, como si estuviera contenido. LUIS DE

GONGORA en las *Canciones* (1582-1610) y los *Sonetos* (1582-1625), retoma el símbolo del cabello que se esparce por el blanco y liso cuello, o deja entrever el pecho, blanca nieve. FRANCISCO DE MEDRANO, en *Remedios de amor* (póst. 1617), no se recata en decir que la hermosura llegó a sus brazos, de "gozarse conmigo codiciosa". Las *Eróticas o amatorias* (1618) de ESTEBAN MANUEL DE VILLEGAS, muestran el jugueteo amoroso, la dulzura, el placer, "mi dulce Lesbia... amemos". En las *Rimas* (primera mitad siglo XVII) de BARTOLOME LEONARDO ARGENSOLA, se describe, bajo metáforas, cómo Fermio y Drusila ceden al primer veneno; la serpiente se esconde "en lo ameno de un campo fértil". JUAN DE TASSIS, conde de Villamediana, en los *Sonetos* y *Redondillas* (primera mitad siglo XVII), refiere los lances del amor atrevido, "el Sol derribé sin velo". La poesía erótica alcanza en el siglo XVIII, con JUAN MELENDEZ VALDES un gran auge, en los *Romances* e *Idilios* (1785, publ. póst. 1820), toca temas galantes, frívolos y sensuales; *Los besos de amor* (publ. 1894), contiene veintitrés odas sobre el beso, en sentido real y erótico. Los ojos, los labios, el pecho, el vientre nevado, despiertan en el poeta la imaginación, que cubre y descubre a la amada. El desenfado sexual está presente en *El jardín de Venus* (fin siglo XVIII, publ. principios siglo XX) de FELIX M.ª SAMANIEGO. GUSTAVO ADOLFO BECQUER en las *Rimas* (1859-1868, publ. 1871) ansía fundirse en un beso y confiesa que una "breve noche de verano se unieron los crepúsculos... y fue". FEDERICO GARCIA LORCA, en el *Diván de Tamarit* (1931-34), contempla el amor desde una perspectiva erótica, en el que los sentidos desvelan el misterio carnal. PEDRO SALINAS, el gran poeta del amor, en *La voz a ti debida* (1933) y *Razón de amor* (1936), no es ajeno al sentimiento erótico, "siento entre tactos, entre abrazos, tu piel". En los *Poemas últimos, Hijo de luz y sombra* (1942) de MIGUEL HERNANDEZ, el amante espera la llegada de la noche, "daré sobre tu cuerpo... su avaricioso anhelo de imán y poderío". VICENTE ALEIXANDRE, en "El beso", de *Sombra del paraíso* (1944), compara la entrega a "la cerrazón de las bocas selladas" y, en *Historia del corazón* (1954), busca ansiosamente el cuerpo amado. JUAN RUIZ PEÑA, en *La vida misma* (1956), desea darse entero en la noche y poseer el cuerpo de ella para siempre. En *La memoria y los signos* (1966), JOSE ANGEL VALENTE se duele de que en el acto de amor no haya respuesta. En *Descrédito del héroe* (1977) de JOSE MANUEL CABALLERO BONALD el amante se siente arrastrado por el cuerpo sin fin de la amada. CARLOS EDMUNDO DE ORY, en *Metanoia* (1978), se hunde insaciable en la mujer amada "ebrio hechizado loco". El intimismo y la plenitud erótica están presentes en *Poesía, 1970-1982* de LUIS ANTONIO DE VILLENA, que contiene *El viaje a Bizancio* (1978), *Hymnica* (1979), *Huir del invierno* (1981) y *La muerte únicamente* (1984).

La narrativa recoge también escenas, situaciones o descripciones sensuales, desde *Historia de los dos amadores*, intercalada en *El siervo libre de amor* (hacia 1430) de JUAN RODRIGUEZ DEL PADRON; *Grisel y Mirabella* y *Grimalte y Gradissa* (hacia 1495) de JUAN DE FLORES; *Tragicomedia de Calisto y Melibea* (¿1499?-1500) de FERNANDO DE ROJAS; *La lozana andaluza* (1528) de FRANCISCO DELICADO; *Novelas ejemplares y amorosas* (1635, 1647) de MARIA DE ZAYAS Y SOTOMAYOR; *La Regenta* (1884) de LEOPOLDO ALAS, *CLARIN*; *Entre naranjos* (1900), *Sónnica la cortesana* (1901), *A los pies de Venus (Los Borgia)* (1926) de VICENTE BLASCO IBAÑEZ; *Las ingenuas* (1901), *La sed de amor* (1905), *En la carrera* (1909) de FELIPE TRIGO, considerado maestro de la escuela erótica; *Sonatas* (1902-1905) y *Corte de amor* (1903) de RAMON DEL VALLE INCLAN; *La mujer fácil* (1910) de ALBERTO INSUA; *Las cerezas del cementerio* (1910) de GABRIEL MIRO; *Relato inmoral* (1928) de WENCESLAO FERNANDEZ FLOREZ, sátira contra las costumbres puritanas españolas respecto a las expresiones amorosas y sexuales; hasta llegar a la novela contemporánea, más libre en sus manifestaciones, como *Konko* (1943) de ALEJANDRO NUÑEZ ALONSO; *Lola, espejo oscuro* (1950) de DARIO FERNANDEZ FLOREZ; *Las mil noches de Hortensia Romero* (1979) de FERNANDO QUIÑONES; *Belver Yin* (1981) de JESUS FERRERO, que culmina incluso en una colección: *La sonrisa vertical.*

* * *

El interés por este tema ha llevado a la recopilación de textos antológicos: J. GARCIA SANCHEZ y M. R. BARNATAN, *Poesía erótica castellana.* P. ALZIEU Y R. JAMMES, *Poesía erótica del Siglo de Oro* (1984). J. LOPEZ GORGE y F. SALGUEIROS, *Poesía erótica en la España del siglo XX.* Otros estudios con referencia directa a la literatura son: D. LOTH, *Pornografía, erotismo y literatura* (1967). C. FEAL, *Eros y Lorca* (1973). D. H. LAWRENCE, *La novela erótica contemporánea* (1976). L. LITVAK, *Erotismo fin de siglo* (1979). J. A. PEREZ RIOJA, *El amor en la literatura* (1983). F. GARCIA LARA, *El lugar de la novela erótica española* (1986). F. LOPEZ CRIADO, *El erotismo en la novela ramoniana* (1988).

Ver **Pareja.**

20. ESTUDIANTE

El estudiante aparece como grupo social ya en el siglo XII, pero la literatura se ha aproximado a él a partir del Siglo de Oro; las aventuras o travesuras, próximas en ocasiones a las de los pícaros, la vida despreocupada y alegre, son los aspectos más destacados, sin olvidar tampoco la faceta costumbrista, o la denuncia y crítica de la sociedad, desde un estamento que representa el futuro de la nación.

Las burlas estudiantiles aparecen en *Aventuras del bachiller Trapaza* (1637) de ALONSO CASTILLO SOLORZANO; Hernando de la Trampa muda su nombre por el de Quiñones al ser enviado a estudiar a Salamanca, en la que, por otro lado, permanece poco tiempo. Una versión contrapuesta ofrece *El estudiante perfecto y sus obligaciones* (1643) del Padre ALONSO DE ANDRADE. BENITO PEREZ GALDOS describe en *El doctor Centeno* (1883) la vida escolar y doméstica del pequeño Centeno, al que se inicia en las primeras letras y golpes bajo la férula de Polo. *Riverita* (1886), de ARMANDO PALACIO VALDES, presenta la vida en un pintoresco internado de Madrid. PIO BAROJA cuenta en los primeros capítulos de *Inventos, aventuras y mixtificaciones de Silvestre Paradox* (1901), las travesuras de Silvestre con sus compañeros de bachiller. Años más tarde, en *El árbol de la ciencia* (1911), Baroja, a través de Andrés Hurtado, denuncia el desinterés y frivolidad de los estudiantes y el anquilosamiento de la Universidad española. *A.M.D.G.* (1910) de RAMON PEREZ DE AYALA, satiriza la vida en un colegio jesuita. ALEJANDRO PEREZ LUGIN muestra en la "estudiantina"

La casa de la Troya (1915), la vida estudiantil en Santiago a finales del siglo XIX. MANUEL AZAÑA, en *El jardín de los frailes* (1926), rememora sus años de adolescencia en el Colegio de los Agustinos de El Escorial. RAMON J. SENDER, en *Crónica del Alba* (1942), da inicio a la biografía de Ramón Garcés con sus estudios, primero en el pueblo y, posteriormente, en un internado. Daniel el Mochuelo, el protagonista de *El camino* (1950) de MIGUEL DELIBES, es consciente del mundo nuevo, el escolar, en el que se va a integrar para labrarse un porvenir. *La forja* (1951), primera parte de la trilogía, *La forja de un rebelde* de ARTURO BAREA, refleja los esfuerzos de un joven de clase humilde para integrarse de becario en un colegio. En *Entre visillos* (1958) de CARMEN MARTIN GAITE, aparece el ambiente estudiantil de un Instituto de Enseñanza Media de provincias. *Patio de armas*, una de las historias de *Caballo de pica* (1961) de IGNACIO ALDECOA, es la rememoración de una jornada escolar en un centro religioso. *El curso* (1961) de JUAN ANTONIO PAYNO, presenta a un grupo de universitarios durante un año académico de 196..., alejados de la problemática social, sin interés por la cultura, ocupados en sus pasatiempos. ISAAC MONTERO recoge los recuerdos de la vida en la Universidad y en el Colegio Mayor en *Al final de la primavera* (1966). *El infierno y la brisa,* (1971) de JOSE M.ª VAZ DEL SOTO, ofrece la visión de un internado de enseñanza media y la evolución de los estudiantes sometidos a una vida de encierro.

Ver **Educación, jóvenes, niños.**

75

21. EXILIO

La separación de la tierra en la que se vive, la expatriación por motivos políticos, es casi tan antigua como la propia historia de la literatura española. "Español del éxodo de ayer / y español del éxodo de hoy", diría León Felipe. Desde el Mio Cid *hasta los hijos del último exilio, que nacieron ya fuera de España. Pero no se trata, en este momento, de hacer una nómina –siempre difícil– sobre lo que estos hombres y mujeres han escrito en el exilio, sino de dar la referencia de aquellas obras que tratan específicamente del destierro, bien sea de la situación, a través de personajes de ficción, más o menos autobiográficos, bien de los sentimientos que provoca la lejanía de la patria.*

La expulsión de un territorio determinado, según las circunstancias, no supone el alejamiento geográfico, sino la cárcel. La prisión cumple entonces el mismo objetivo que el exilio: separar de la convivencia común a aquellas personas que no comulgan con las ideas imperantes. La causa del distanciamiento es una, la intolerancia. En la cárcel de Valladolid (1572-76), nació la mejor *Poesía* (publ. 1630) de Fray LUIS DE LEON, "del vuelo de las alas he quebrado", exclama en la *Oda al Licenciado Juan de Grial.* Y desde la cárcel de León, en la Torre de Juan Abad, FRANCISCO DE QUEVEDO remitió las *Cartas* llenas de pesadumbre, protestando de haber sido acusado falsamente.

GARCILASO DE LA VEGA, en la *Canción tercera* (póst. 1543), cerca del Danubio, se duele del destierro, "preso y forzado y solo en tierra ajena". A partir del siglo XIX es, sin embargo, cuando hay mayor producción literaria referida a la ausencia. GASPAR MELCHOR DE JOVELLANOS, deportado a Mallorca de 1802 a 1808, escribe desde su encerramiento *Memorias del castillo de Bellver* (1813). JUAN MELENDEZ VALDES estuvo confinado en Medina del Campo y luego en Zamora, de 1798 a 1808. Destacan de este período las *Odas* XXV, "A mi lira"; LV, "A Anfiso"; XXIV, "A mi Musa"; LVI, "Después de una tempestad"; el *Romance* XLI, "Mis desengaños"; la *Epístola* IX, a su amigo Plácido Ugena. El poeta, víctima de la persecución, se encierra en sí mismo, en su soledad. En 1813 vuelve a ser desterrado, esta vez a Francia, donde muere en 1817. El dolor y el recuerdo nostálgico de la patria brotan en la *Oda* XXXI, "¡Oh, qué día tan funesto!". "Y solo y pobre en peregrino suelo", espera el retorno, que no llega para él, en la *Oda* XXVIII, "Afectos y deseos de un español al volver a la patria". En 1820 se hizo una edición póstuma de sus *Poesías* en cuatro volúmenes. El DUQUE DE RIVAS, exiliado (1824-1833), escribe varios poemas, *El desterrado, El sueño del proscrito, El faro de Malta*, lamentando el estado a que se ve sometido, "adiós, ingrata patria mía". JOSE DE ESPRONCEDA estuvo exiliado en varias ocasiones, entre 1827-1833, debido a sus actividades revolucionarias. Su *Poesía Patriótica*, "La entrada del invierno en Londres" (1827) y "A la patria" (1830), es un canto a la libertad que le permite mantenerse por encima de los prejuicios, las normas. ALBERTO LISTA escribe un poema semiautobiográfico, *El emigrado de 1823*, a raíz del segundo exilio liberal. No se olvide que, según MARIANO JOSE DE LARRA, "por poco liberal que se sea, o está uno en la emigración, o de vuelta de ella, o disponiéndose para otra", *La diligencia* (1835). PIO BAROJA, que no sufrió personalmente el destierro, escribe *La ciudad de la niebla* (1909), en la que relata la evolución de los personajes, el doctor Aracil y María, su hija, en la amargura del exilio, después de las tentativas revolucionarias. MIGUEL DE UNAMUNO, desterrado durante la Dictadura de Primo de Rivera en Fuerteventura (1924), París (1924-25) y Hendaya (1925-27), expresa sus sentimientos personales de este período, en *De Fuerteventura a París. Diario íntimo de confinamiento y destierro, vertido en sonetos* (1925) y *De romancero del destierro* (1927), escrito en París y Hendaya, es una mezcla de recuerdos y esperanzas y de ideas combativas y políticas. Y, a partir de aquí, da comienzo lo que José Bergamín llamó "La España peregrina". MIGUEL HERNANDEZ, en la prisión, llora desde dentro de España en *Cancionero y romancero de ausencia* (1938-41), publicado póstumamente. AZORIN expone el dolor de los refugiados, "Este dolor es el dolor de España", en *Españoles en París* (1939). Pero son los poetas los que, con más fuerza, expresan la angustia del destierro, la nostalgia por la tierra y los seres perdidos. Su confesión es mucho más inmediata que la de los narradores. La experiencia está a flor de piel. JUAN RAMON JIMENEZ refleja la angustia de los primeros momentos del desarraigo, en *En el otro costado* (1936-42). LEON FELIPE en *Español del éxodo y del llanto* (1939) clama que el español está solo, "perfilado en el viento. Solo". Años más tarde evoca la España soñada y el posible y futuro regreso en *Llamadme publicano* (1950); a todos los "desterrados y enterrados en el destierro" entona un último canto en *¡Oh, este viejo y roto violín!* (1965). *Entre el clavel y la espada (Poemas del destierro y la espera)* (1941), muestra el pesar de RAFAEL ALBERTI por la tierra y los hombres perdidos. En *Pleamar* (1944), a la nostalgia se une el gozo por el mundo nuevo que acoge al poeta. A LUIS CERNUDA el destierro le ha convertido en un muerto que sigue viviendo, añorante de la "tierra nativa, más mía cuanto más lejana", en *Las nubes* (1940). Los poemas de ENRIQUE DIEZ-CANEDO, *El desterrado* (1940), gritan que "nadie podrá desterrarte". PEDRO GARFIAS refiere la experiencia de su primer exilio en un pueblecito inglés, en

1939, *Primavera en Eaton Hastings* (1941), subtitulado "Poema bucólico con intermedios de llanto". En *Destierro: sonetos, décimas concéntricas y excéntricas, burlas y veras castellanas* (1942), JUAN JOSE DOMENCHINA se siente viviendo en la tierra que ha dejado. La soledad, la inadaptación le conducen una y otra vez a España. Años después, en *El extrañado* (1958), la desesperación ha dejado paso a una resignada nostalgia. JUAN REJANO trata en toda su extensa obra de España, como un gran dolor en *Fidelidad del sueño* (1943); como un paraíso perdido en *El jazmín y la llama* (1966). PEDRO SALINAS, en *El contemplado* (1946), frente al mar del presente añora el pasado, su país "cada vez más en mi querer y en mi sueño". La nostalgia de la tierra y la búsqueda de comunicación están presentes en *Jardín cerrado (nostalgias, sueños y presencias)* (1946) de EMILIO PRADOS. MARIA ENCISO, en *De mar a mar* (1946), canta la España del recuerdo y la esperanza. JOSE M.ª QUIROGA PLA habla de "la vuelta del corazón y del ansia hacia España", en *Morir al día* (1946). Y los primeros años del destierro retornan en "Nos trajeron las olas", de la Antología *La música que llevaba* (1949) de JOSE MORENO VILLA. Las peripecias de los exiliados, el paso a Francia, la difícil adaptación a los acogedores países americanos, es el tema de muchas de las novelas de los autores que tuvieron que irse. *Crónica del alba* (1942), es la biografía, ¿autobiografía?, de un exiliado, RAMON J. SENDER, Pepe Garcés, que comienza su periplo en un campo de concentración francés al final de la guerra civil. También probablemente autobiográfico es el viaje hacia la tierra del destierro, de PABLO DE LA FUENTE, *Sobre tierra prestada* (1944). Las vivencias en un campo de concentración en la que son internados los soldados que huyen al terminar la guerra es el tema de *Cristo, 200.000 brazos (Campo de Argelés)* (1958) de AGUSTI BARTRA. La experiencia del campo de concentración vuelve a aparecer en MAX AUB en *Campo francés* (1965), que completa la serie de los "Campos", referida al exilio. Max Aub también abordó el drama del exiliado español en una obra de teatro, *El tránsito* (1944), que sitúa la acción en 1947. El protagonista se siente dividido por el recuerdo de su vida anterior y el presente. Entre el deseo de volver a la patria y la lealtad a las ideas que le llevaron al exilio; en *El remate* (1961) y *El cementerio de Djelfa* (1963) muestra las frustraciones de los exiliados. CONCHA CASTROVIEJO, en *Los que se fueron* (1957), relata la dolorosa experiencia del exilio. Hasta 1964 no publicó CELSO AMIEVA (seudónimo de José M.ª Alvarez Posada) el libro en prosa *Poeta en la arena* (1964), en el que reincide en su experiencia personal de los campos de concentración franceses, como ya había hecho en el libro de poemas de *La almohada de arena*. En 1965, VIRGILIO BOTELLA PASTOR publica la novela *Tal vez mañana*, sobre la adaptación y la vida de los exiliados en México y *Encrucijadas* (1962); y ROBERTO RUIZ, *El último oasis* (1965). Los que se quedaron, *Los vencidos* (1965) de ANTONIO FERRES, van a padecer en muchas ocasiones la cárcel. El ambiente de la prisión, a través de Federico, antiguo médico, se impone como testimonio de los derrotados en la guerra civil. La guerra llevó también fuera de España en un exilio provisional a los niños, como narra LUIS CASTRESANA en *El otro árbol de Guernica* (1967). La separación y los conflictos que sobrevinieron a las familias de los que se fueron, subyace en la trama de la novela de ANA M.ª MATUTE, *La trampa* (1969). El exilio posterior y semivoluntario de unos jóvenes comunistas en París, es el tema de *Las ruinas de la muralla* (1965) de JESUS IZCARAY. De forma tardía (1975), aparece *Los diablos sueltos* de MADA CARREÑO, sobre el final de la guerra y el exilio en Francia. XOAN IGNACIO TAIBO ofrece un testimonio del exilio en la obra de teatro *Morir del todo* (1983). *El exilio interior* (1988) de MIGUEL SALABERT, publicada en francés e inglés en los años sesenta, denuncia a través de su protagonista, Ramón, la cruda realidad del exilio dentro de España. ROSA CHACEL rememora en forma de ficción el exilio en *Ciencias naturales* (1988). Y, por último, MARIA ZAMBRANO rehace por medio de un personaje interpuesto su vida y la experiencia del exilio en *Delirio y destino* (1989). La esperanza en el retorno que alentaba a muchos de los exiliados es abordada de modo muy similar por seis autores, Max Aub, *Las vueltas* (1947, 1960, 1964) y *La gallina ciega* (1971); ARTURO BAREA, *La raíz rota* (1952); DANIEL SUEIRO, *Estos son tus hermanos* (1955); PABLO DE LA FUENTE, *El retorno* (1969); GABRIEL GARCIA BADELL, *De las Armas a Montemolin* (1971); LUIS RACIONERO, *La forja del exilio* (1985). En todas ellas se plantean los problemas de la vuelta, la inadaptación y las decepciones que esperan a los que se reintegran a la patria. El precio es tan alto que los protagonistas de Barea y Sueiro optan por regresar al exilio. La novela de Racionero, referida ya a la etapa de la democracia, muestra la prevención de los exiliados ante la vuelta. Y el desenlace es similar a las anteriores: "Lluc y Font se vendió el piso, volvió a Toulouse y se estableció definitivamente en las tierras del exilio." Sólo en clave de humor es posible la reinserción gozosa, como en la comedia de MIGUEL MIHURA, *Ninette y un Señor de Murcia* (1965).

* * *

La temática del último exilio ha producido algunas recopilaciones antológicas. *Las cien mejores poesías españolas del destierro* (1945) por FRANCISCO GINER DE LOS RIOS. *Poetas libres de la España peregrina en América* (1947) a cargo de HORACIO J. BECCO y OSVALDO SVANASCINI. *Narraciones de la España desterrada* (1970) por RAFAEL CONTE. *Literatura española del último exilio* (1975) de ANTONIO FERRES y JOSE ORTEGA. *Poemas del destierro, siglos XVI-XX* (1977) de J. M.ª BALCELLS.

Se puede completar el análisis sobre la prisión y el

destierro en las siguientes obras: G. CAMAMIS, *Estudios sobre el cautiverio en el Siglo de Oro* (1977). J. CABOT LLOMPART, *Jovellanos confinado en Mallorca* (1936). V. LLORENS, *Liberales y románticos. Una emigración española en Inglaterra* (1979). GREGORIO MARAÑON, *Españoles fuera de España* (1947). CARLOS MARTINEZ, *Crónica de una emigración (la de los republicanos españoles en 1939)* (1959). JOSE RAMON MARRA-LOPEZ, *Narrativa española fuera de España, 1939-61* (1962). M. DURAN, "La generación del 36 vista desde el exilio", en *De Valle Inclán a León Felipe* (1974). VICENTE LLORENS, *Memorias de una emigración. Santo Domingo, 1939-1945* (1975). AURORA ALBORNOZ, "Poesía de la España peregrina"; SANTOS SANZ VILLANUEVA, "La narrativa en el exilio"; RICARDO DOMENECH, "Aproximación al teatro del exilio", en *El exilio español de 1939,* tomo IV (1977). RICARDO VELILLA BARQUERO, *La literatura del exilio a partir de 1936* (1981). AA. VV., *El exilio español en México, 1939-1982* (1982). E. PONS PRADES, *Los vencidos y el exilio* (1989).

22. FAMILIA

La familia es la estructura social básica que se configura por el interjuego de roles y funciones diferenciadas. El ambiente familiar dentro del cual viven los componentes está sometido a presiones tendentes a que cada uno de los miembros adopte el papel que le ha sido asignado. Cuando las relaciones establecidas entran en crisis la literatura se interesa por ellas: las pautas de conducta contrarias a las normas establecidas, la ruptura de los vínculos contraídos, las actitudes defensivas, el desvío o la agresividad, priman en la fabulación literaria rompiendo con la imagen idealizada de la felicidad hogareña.

Ver **Adulterio, hermanos, hijos, madre/padre, matrimonio.**

23. FANTASIA

La literatura recrea siempre la realidad incorporando elementos de ficción, pero hay algunas obras que van más allá, su punto de partida es lo puramente fantástico, lo quimérico, lo que no tiene realidad más que en la imaginación. Lo que pretende, según Fernando Sánchez Dragó, es luchar "Contra la villana realidad" (El viejo topo, n.º 35, 1979) o, en palabras de Torrente Ballester, darse un respiro, "Don Juan nació de un empacho de realismo". El autor de este tipo de narraciones —poco abundante, por otro lado, en la literatura española— introduce al lector en un mundo en el que, si se cree en él, todo es posible, y precisamente, como indica Torrente Ballester en el prólogo de 1983 a La princesa durmiente va a la escuela, porque instala la "situación imposible en el mundo de las posibilidades cotidianas"; así aparecen en íntima convivencia personajes históricos como Napoleón, con otros que proceden de la ficción, como don Juan, la Celestina, Hamlet, Holmes o los Caballeros de la Tabla redonda; de la mitología, como Diana y Edipo; o de la Leyenda, como la Sirena, el Judío errante o las ánimas en pena. Lo histórico se mezcla indisolublemente con lo inverosímil, lo verdadero con lo fantástico. Se produce de este modo una suerte de incertidumbre en el lector, pues lo maravilloso se le ofrece con todo lujo de detalles y con cierto toque de humor en las novelas contemporáneas, lo increíble se da por cierto, la duda desaparece; lo fantástico dice Todorov, "es la vacilación experimentada por un ser que no conoce más que las leyes naturales, frente a un acontecimiento aparentemente sobrenatural".

84

El doctor Lañuela (1836) de ANTONIO ROS DE OLA-
NO, goza de poderes, realiza hechos extraños justifica-
dos por el magnetismo que posee; su misma hija parece ser un espíritu etéreo e intangible, "vino hacia
donde yo estaba una nube blanca, que paso a paso se
fue delineando hasta quedar en estatua semoviente
que al andar disipaba las sombras interiores". GUSTA-
VO ADOLFO BECQUER confiesa, "mis afectos se re-
parten entre fantasmas de la imaginación y personajes reales"; así las *Leyendas* (1861-1864, publ. 1871), están concebidas en una atmósfera de irrealidad, pocas
cosas en ellas se pueden explicar según las leyes de la
naturaleza: hechos producidos desde ultratumba, ánimas en pena, muertos que regresan de la otra vida,
campanas que tocan solas a muerto, órgano pulsado
por un difunto, bofetada asestada por el guantelete de
una estatua, la mano de la mujer muerta que persigue al hombre que faltó a su promesa, "mujeres que
no han existido sino en mi mente": corza blanca, rayo
de luna, estatua de alabastro; relatos, pues, ficticios,
llenos de rasgos maravillosos. En la segunda mitad del
siglo XX, GONZALO TORRENTE BALLESTER y ALVA-
RO CUNQUEIRO, introducen en muchas de sus novelas elementos fantásticos. Así, Torrente Ballester, en
La princesa durmiente va a la escuela (escrita 1951, publicada 1983), realiza una "sátira contra toda cosa cog-
noscible". "El punto de partida de esta narración",
dice el autor, "es una situación *imposible*. No absurda
(...) sino irreal". La durmiente despertada al cabo de
trescientos años por el beso de un príncipe demócra-
ta se convierte, de este modo, en paradigma de lo que
serán otras novelas suyas, no absurdas, pero sí irrea-
les como: *Don Juan* (1963), que "tiene sus raíces en el
cielo y en el infierno"; Torrente retoma el personaje
literario, lo instala en el mundo actual, e invita al lector a creer en un don Juan de trescientos años; a partir de aquí todo es posible: la existencia real que no
literaria del propio Tenorio y la Celestina, la presen-

cia del diablo con poderes extraordinarios, la transmigración de las almas, el juicio y el paraíso privado de los Tenorio, la coexistencia de elementos del pasado y del presente que se confunden en un tiempo irreal. *La saga/fuga de J.B.* (1972), tiene lugar en la villa de Castroforte, que "parecía una nube lejana, donde quizás el rey Artús empezase a proponer al pueblo la proclamación inmediata, definitiva, del Cantón Independiente, hasta que en el Reloj del Universo sonara la hora del regreso"; en ella la historia y la leyenda pueden ser trastocadas a voluntad de Bastida, desde el futuro es posible cambiar los hechos pasados, las lampreas realizan extraños viajes en pos del Santo Cuerpo o de la diosa Diana; Jacobo Balseyro, el nigromante, aunque afirma que no tiene poderes extraordinarios, sino sabiduría, utiliza el tapiz a modo de alfombra mágica y "aunque corre menos que el avión, es bastante más cómodo y mucho menos arriesgado". *Las sombras recobradas* (1979) contiene: *Mi reino por un caballo (falsa novela inglesa)*, en ella conviven con la señora de la casa, Lady Forrest, Holmes, Watson y Lord Jim, el caballo que habla y que posee la facultad de ver a los muertos, para resolver el enigma de si el Napoleón que ha atravesado el espejo es el auténtico emperador o un impostor; *El cuento de Sirena* narra los problemas de una familia gallega, los Mariño de Vilaxuán, en la que la tradición cuenta que la sirena se lleva al hijo varón de ojos azules; la incertidumbre del lector es la misma que la del narrador, ¿es una sirena la náufraga Marta? *La isla de los jacintos cortados* (1980), "Cartas de amor con interpolaciones mágicas", enmarca dentro de la novela lírica un relato fantástico: Napoleón es inventado por Metternich, Nelson y Chateaubriand, para dotar de un líder a Francia. Alvaro Cunqueiro, en *Crónicas del Sochantre* (1959), cuenta el viaje del Sochantre en compañía de los muertos; la vida ultraterrena se rige por unas normas precisas que el autor refiere minuciosamente, "estando muertos, no podemos encender lumbre en hogar ni entrar en casa donde esté encendida, ni comer pan de trigo, ni cosa alguna que lleve sal o aceite, ni beber vino...". En *Las mocedades de Ulises* (1960), los héroes troyanos confraternizan con los de la Tabla redonda; la historia está entretejida con la presencia de personajes tan dispares como la emperatriz de Constantinopla, Ricardo Corazón de León, Enrique el Navegante, Ginebra y Helena, Menelao y Otelo; en último término, Itaca es la isla de los sueños y la fantasía: "Todos los humanos tenemos una isla semejante en la nostalgia, que cuando en ella llueve, llueve en nuestro corazón." En *Merlín y familia* (1969), el paje Felipe recuerda, pasados los años, cómo entró al servicio de don Merlín y doña Ginebra a los nueve años, y tendría la ocasión de vivir "las más misteriosas magias, encantos, inventos, prodigios, trasiegos y hechizos"; por el relato desfilan el enano de Belvis, la sirena Teodora, la princesa de Gazna y la emperatriz Caliodora, la mujer barbuda y el demonio Cobillón, don Gabín arábigo, alquimista, y el hugonote de Riol, fantasma francés, Lanzarote, Pablo y Virginia, Parsifal, Hamlet y Edipo, y tantos otros que forman parte de "aquella tropa profana que a Merlín acudía y a sus siete saberes". CARMEN MARTIN GAITE, en *El cuarto de atrás* (1978), afirma, "cosas raras pasan a cada momento. El error está en que nos empeñamos en aplicarles la ley de la gravitación universal, o la ley del reloj, o cualquier otra ley de las que acatamos habitualmente sin discusión; se nos hace duro admitir que tengan ellas su propia ley"; en este contexto no tiene razón de ser la incertidumbre del lector ante la existencia del hombre de negro; si la presencia del misterioso visitante durante la noche en que transcurre la acción fue real o fruto de la imaginación de la escritora, carece de importancia. Todo es posible. En esta misma línea están las narraciones de RAUL RUIZ, *El tirano de Taormina* (1980), *Relación inverosímil de un Papado infinito* (1981), *La peregrina y prestigiosa historia de*

Arnaldo de Montferrat (1984), *Los papeles de Flavio Alvisi* (1985), contadas por el goliardo provenzal Arnaldo de Montferrat; los hechos contrastados se mezclan con las patrañas, sin que el lector pueda deslindar lo mítico, lo histórico, de lo absolutamente inventado.

* * *

Se puede consultar: L. VAX, *El arte y la literatura fantástica* (1965), *Lo verosímil* (1970). T. TODOROV, *Introducción a la literatura fantástica* (1968). M. G. VIÑO, *Mundo y trasmundo de las leyendas de Bécquer* (1970). A. RISCO, *Literatura fantástica en lengua española* (1987).

24. FE

La fe introduce al hombre en un mundo transcendente. En la fe, Dios es quien tiene la iniciativa, pero la obra literaria lo que refleja es la actitud compleja del hombre ante la divinidad. Resuena en los poemas la llamada como eco del propio grito del hombre. Grito que formula el poeta desde las más diversas posturas y circunstancias: en la búsqueda y en la negación, en la duda y la certeza, en la vida y ante la muerte. La poesía española cuenta con páginas antológicas en las que vibra el "dinos quién eres, sácanos de la duda" de Unamuno, "¡Despierta!" de Machado, "verte un momento, ¡oh Dios!" de Otero, "se que tú existes" de Hidalgo o "el hilo toco de tu trama" de García Nieto.

Ver **Dios, mística, muerte, religión.**

25. FLORES

El poeta atribuye a las flores una significación simbóli-
ca, expresión de sus sentimientos. El color y el perfume re-
flejan estados de ánimo, unas veces intensos o pasionales;
otras, tristes y doloridos. La lírica castellana tiene preferen-
cia por determinadas flores, como la rosa, símbolo de la
pasión, la azucena de la pureza, o la violeta de la humil-
dad; simbología a la que no es ajena el tópico.

ALFONSO ALVAREZ DE VILLASANDINO, en *Esta*
cántiga fizo... (fin siglo XIV, principio siglo XV), llama
flor de azucena a su señora, su visión deleita más que
la del lirio y la rosa. Micer FRANCISCO IMPERIAL, en
el *Decir de las siete virtudes* (hacia 1407), describe un
jardín de flores en el que destaca el rosal en un verde
prado. IÑIGO LOPEZ DE MENDOZA, Marqués de Santillana, en el poema *A unas tres hijas suyas*, presenta a
las damas rodeadas de lindas flores y rosas; la vaque-
ra de la Finojosa, de las *Serranillas* (1429-1440), discurre en un verde prado de rosas y flores. FERNAN PE-
REZ DE GUZMAN, en el *Cancionero Castellano del siglo*
XV llama a la bella "rosa de los jazmines", "flor de azucena", y le advierte que no se mire en la fuente, no le
vaya a suceder lo que a Narciso. GARCILASO DE LA
VEGA compara en los *Sonetos* (póst. 1543) el rostro de
la amada con la rosa y la azucena. En la *Egloga II* (póst.
1543), las flores de varios colores ofrecen a los ojos,
dice Albanio, "diversidad extraña de pintura". En la
Letrilla, "Véante mis ojos" (segunda mitad siglo XVI),
SANTA TERESA DE JESUS prefiere la vista de la flor
de las flores, Jesús, a las de las rosas y jazmines. MI-

GUEL DE CERVANTES, en *La Galatea* (1585), afirma que sus amores son rosas, y jazmines sus cadenas. La amada es para FRANCISCO DE FIGUEROA, en los *Sonetos* (póst. 1625), como las blancas y hermosas rosas. Las *Poesías* (fin siglo XVI, principio siglo XVII) de JUAN DE SALINAS, establecen la competencia entre la rosa y el jazmín. SALVADOR JACINTO POLO DE MEDINA, en *La azucena* (siglo XVII), juega con la comparación de la azucena, castidad, y la rosa, pasión. FRANCISCO DE RIOJA con descripciones plásticas y matizadas expresa en las *Poesías* (primera mitad siglo XVII), la fugacidad de la vida en "Pura, encendida rosa"; en "Silva de verano", el amor es ardiente rosa, o clavel ardiente. Para LUIS DE GONGORA la amada, en los *Sonetos* (1582-1625), es lirio y clavel. ENRIQUE GIL Y CARRASCO, en *La violeta* (primera mitad siglo XIX), prefiere esta flor porque es "humilde", "solitaria", "melancólica", símbolo de la soledad del poeta. GUSTAVO ADOLFO BECQUER, en las *Rimas* (1859-1868, publ. póst. 1871), habla de azules campanillas, violetas y azucena tronchada. ROSALIA DE CASTRO, *En las orillas del Sar* (1884), prefiere un campo de trigo a las rosas y claveles perfumados, las rosas son para ella más bien símbolo de la cárcel del alma. Pero, en ocasiones, confiesa no poder vivir sin las flores. Para FRANCISCO VILLAESPESA, en *Paisaje interior* (hacia 1900), el alma marchita es cárdeno lirio, y las adelfas son símbolo del mal, de la Eterna serpiente. MANUEL MACHADO, en *Alma* (1902), se refiere al nardo como pasión. ANTONIO MACHADO, en *Soledades* (1903), habla de jazmines y rosas blancas, pero también compara la sepultura con "rosas de podridos pétalos", que contrastan con la vida de los geranios de roja flor. El poeta canta también a las humildes flores, azules o blancas, que crecen entre la hierba. En *Campos de Castilla* (1912), contempla montañas de violeta, rosas amarillas o margaritas blancas. En *Nuevas canciones* (1924), son las rosas de grana las que llaman su atención.

EDUARDO MARQUINA, en *Votos floridos* (principio siglo XX), siente preferencia por las violetas. MIGUEL DE UNAMUNO, en *Andanzas y visiones españolas* (1922), describe las flores de un cementerio, escondidas amapolas, clavelinas, magarzas, brezos. FEDERICO GARCIA LORCA, en el *Romancero gitano* (1928), habla de "la rosa azul de tu vientre", de las "malvas en hierbas finas"; de "lirios suaves" y de "jardín de violetas", en las *Odas* (1924-29); o de "rosas que hieren", en *Poeta en Nueva York* (1929). EMILIO PRADOS, en *Penumbras I* (1939-1941), simboliza a través del jazmín, el nardo, la magnolia, la "primavera" de España antes de la guerra y el exilio. Para VICENTE ALEIXANDRE, en "Criaturas en la aurora", de *Sombras del paraíso* (1944), las flores silvestres, las florecillas del soto, son símbolo de la inocencia. Las rosas son para JOSE MARIA VALVERDE en *Hombre de Dios* (1946) la señal del paso del tiempo. RICARDO MOLINA, en *Elegías de Sandua* (1948), prefiere el cuerpo dorado de la amada a la verbena en flor, la verde prímula o las azules campanillas. Para LEOPOLDO DE LUIS, en *Con los cinco sentidos* (1970), el aroma que ella desprende está íntimamente ligado a las flores, al salvaje rosal, al clavel. En *Algunos crímenes y otros poemas* (1971) de JOAQUIN MARCO, el perfume del jazmín dulzón o de las orquídeas enmarcan la muerte.

* * *

Puede consultarse: J. M. BLECUA, *Las flores en la literatura española* (1944).

26. GUERRA

Las sociedades humanas han recurrido a la violencia para dirimir los conflictos desde el principio de los tiempos. Los escritores, coetáneos generalmente de los acontecimientos que relatan, no son imparciales, están a favor de uno u otro bando contendiente; exaltan o denigran, cantan la victoria o lloran la derrota según sea el resultado de la guerra. No deja de haber autores que lamentan los horrores de la lucha, el desastre que ocasiona a los pueblos, la pérdida de vidas humanas, la inutilidad del derramamiento de sangre.

Las obras que se reseñan, aun siendo de ficción, crean la trama en torno a guerras reales, que tuvieron lugar en el tiempo y en el espacio, se refieren a hechos históricos aunque, a veces, sus personajes sean fruto de la imaginación del autor, y permiten al lector tener una visión, quizás menos fidedigna que la aportada por las Crónicas, pero posiblemente más próxima a las ideas y sentimientos de cada época.

Don JUAN MANUEL, en el *Libro de los Estados* (hacia 1330), considera que se debe excusar la guerra, salvo que en ello haya deshonra. Este consejo dado al Príncipe hace tantos años no parece que posteriormente sea tenido en cuenta. Así se han desencadenado guerras para mantener el orden y el prestigio, para conservar el poder o arrebatarlo al que lo poseía, como instrumento político frente a otros Estados o por la pugna de intereses económicos, políticos o religiosos dentro del propio país. El Canciller de Castilla, PEDRO LOPEZ DE AYALA, en *Rimado de Palacio*

(1378-1385), se duele de que la avaricia lleve a los caballeros a codiciar la guerra. ALFONSO VALDES, en el *Diálogo de Mercurio y Carón* (1529-1530), "cuenta lo que ha acaecido en la guerra desde el año mil y quinientos y veynte y uno hasta los desafíos de los reyes de Francia e Inglaterra hechos al emperador en el año MDXXVIII", y en *Diálogo de las cosas ocurridas en Roma* (1530), hace una defensa del saqueo de Roma por Carlos I. GARCILASO DE LA VEGA, en la *Elegía Primera* (póst. 1543), se queja del "eceso de guerras" y se pregunta: "¿qué se saca de aquesto?". DIEGO NUÑEZ DE ALBA, en los *Diálogos de la vida del soldado* (mediados siglo XVI), describe la vida militar de la época a propósito de la campaña de Carlos V en Alemania, en 1546-1547. El poema épico, *La Araucana* (1569, 78 y 89) de ALONSO DE ERCILLA, canta la guerra de Arauco en la que el poeta participó personalmente. GINES PEREZ DE HITA relata la conquista de Granada (1492) y la rebelión de los moriscos en tiempos de Felipe II, en *Historia de los bandos de Zegríes y Abencerrajes o Guerras civiles de Granada* (1595, 1619), desde el punto de vista musulmán. FERNANDO DE HERRERA describe con tono triunfal la batalla de Lepanto, en *Oda a la victoria de Lepanto* (después 1571). La tragedia en verso de MIGUEL DE CERVANTES, *El cerco de Numancia* (hacia 1615), recoge los datos de los historiadores antiguos y las propias ideas de Cervantes sobre la guerra. La lucha contra los moriscos vuelve a aparecer en *La guerra de Granada* (1627, completa 1730) de DIEGO HURTADO DE MENDOZA. FRANCISCO MANUEL DE MELO declara en *Política militar* (1638), que la guerra, aunque sea justa, repugna a las leyes de la naturaleza. *Amar después de la muerte* (hacia 1640), llamada también "El Tuzaní de la Alpujarra" de PEDRO CALDERON DE LA BARCA, sitúa la acción del drama en la sublevación de los moriscos, en tiempos de Felipe II, sofocada por don Juan de Austria. JOSE CADALSIO, en las *Cartas Marruecas* (póst. 1789), achaca los males de España a las innumerables guerras que ha sufrido el país a lo largo de los siglos, cuyo único fruto ha sido el dejar innumerables muertos, huérfanos y viudas. La poesía ha recogido y ha ensalzado el patriotismo de la Guerra de la Independencia; JUAN NICASIO GALLEGO, *Oda al 2 de Mayo* (1808) y MANUEL JOSE QUINTANA, *Poesías patrióticas* (1808); en el poema *A España después de la revolución de marzo* (1808), exclama: "Guerra, nombre tremendo, ahora sublime." El drama histórico de FRANCISCO MARTINEZ DE LA ROSA, *Aben Humeya o la rebelión de los moriscos* (1830), pone también en escena el episodio de la guerra de los moriscos en el siglo XVI. PEDRO ANTONIO DE ALARCON, en *Diario de un testigo de la guerra de Africa* (1860), "Crónicas de soldado y caminante", cuenta sus impresiones de la campaña 1859-60, a la que asistió de voluntario. BENITO PEREZ GALDOS rehace la batalla naval en *Trafalgar* (1873), desde la perspectiva entusiasmada de un niño, y los diversos avatares de la guerra de la Independencia en: *Bailén* (1873), *Zaragoza* (1874), *Gerona* (1874), *La batalla de los Arapiles* (1875); en la tercera serie de los Episodios: *Zumalacárregui* (1898), *Luchana* (1899), *La campaña del Maestrazgo* (1899), se refiere a la primera guerra civil. *Paz en la guerra* (1897) de MIGUEL DE UNAMUNO, sobre las guerras carlistas, muestra la pesadumbre del autor ante la lucha fratricida. RAMON DEL VALLE INCLAN introduce hechos y personajes históricos en la narración de *La Guerra Carlista: Los cruzados de la causa* (1908), *El resplandor de la hoguera* (1909), *Gerifaltes de antaño* (1909); la acción gira en torno a la última guerra carlista, 1873. La Primera Guerra Mundial es el fondo argumental de *Los cuatro jinetes del Apocalipsis* (1916) de VICENTE BLASCO IBAÑEZ; de *La guerra injusta* (1917) de ARMANDO PALACIO VALDES; e inspira también los poemas de JOSE DEL RIO SAINZ, *La Belleza y el Dolor de la guerra. Versos de un neutral* (1922). Blasco Ibáñez describe también la guerra en el mar, en *Mare Nostrum* (1918). La Guerra de Marruecos ha sido novelada de forma crítica por JOSE DIAZ FERNANDEZ en *El blocao* (1928); RAMON J. SENDER, en *Imán* (1930); ARTURO BAREA en *La ruta* (1951), segundo volumen de la trilogía *La forja de un rebelde* (1939-41), y JUAN ANTONIO GAYA NUÑO, en *Historia del cautivo (Episodios Nacionales)* (1966).

La Guerra Civil (1936-1939), desde su inicio, atrajo el interés de dramaturgos, poetas y novelistas; la lucha entre hermanos y el componente ideológico de cada bando hizo que los escritores pusiesen su pluma al servicio de la causa. Durante la larga posguerra la exaltación de la victoria y el drama de los vencidos ha sido objeto de numerosas obras, imposibles de reseñar en su totalidad, pues se podría decir que la sombra de la guerra planea sobre casi toda la obra literaria de los últimos cincuenta años. En los primeros meses de la guerra el teatro cumple una importante labor propagandística en la retaguardia; MAX AUB estrena un Auto en un acto, *Pedro López García* (1936), en el que Pedro, joven pastor de cabras, es obligado a enrolarse en el ejército nacional, pasándose posteriormente al otro bando, asumiendo así la guerra como algo propio; escribe también piezas cortas para "Guerrillas del Teatro": *Teruel* (1938) y ·*Qué has hecho tú para ganar la guerra.* (1938). MIGUEL HERNANDEZ compone *Teatro de la guerra* (1937): *La cola, El hombrecito, El refugiado, Los sentados,* por considerar que el teatro es un "arma magnífica de Guerra contra el enemigo de enfrente y contra el enemigo de casa". MANUEL AZAÑA escribe el drama testimonial *La velada de Benicarló* (1937), subtitulada "Diálogo de la guerra de España", reflexión lúcida sobre la situación española. JOSE MARIA PEMAN, en la obrita *De ellos es el mundo* (1937), escrita, como afirma el propio autor, para servir de aliento en "el momento bélico que España vivía", prolonga posteriormente el tema con *Ha habido un robo en el teatro,* en la que aúna lo bélico y lo religioso. JUAN IGNACIO LUCA DE TENA, en *A Madrid, 682* (1938), presenta los meses vividos en el frente de Madrid. RAFAEL ALBERTI escribe en romance y prosa, en tono de arenga, *Radio Sevilla,* en lo que se ha llamado teatro de urgencia. Veinte años más tarde, en *Noche de Guerra en el Museo del Prado* (1956), los cuadros del Museo se rebelan contra el bombardeo. Las esculturas de *Los santos* (1945) de PEDRO SALINAS, al igual que harían los cuadros de Alberti, toman vida y asumen su papel en la contienda, sustituyendo a los hombres que van a ser fusilados. Casi medio siglo después, FERNANDO FERNAN GOMEZ, en *Las bicicletas son para el verano* (1978), muestra la guerra desde la población civil, no desde el campo de batalla. La poesía tiene un tono belicista; desde el inicio del conflicto la Alianza de Intelectuales propone la creación del *Romancero* (reeditado 1984), *Romancero de la Guerra civil* (1936), *Romancero general de la Guerra de España* (1937), para testimoniar su fidelidad a la República: R. Alberti, V. ALEIXANDRE, M. ALTOLAGUIRRE, J. BERGAMIN, E. PRADOS, M. Hernandez, entre otros, colaboran en él. Desde el lado Nacional los poetas también dedican sus versos a la Cruzada, A. FOXA, A. MARQUERIE, E. D'ORS, L. ROSALES, M. MACHADO, S. SOUBIRON, y otros, recogidos en *Antología poética del Alzamiento (1936-1939),* y en *Corona de sonetos en honor de José Antonio Primo de Rivera* (1939). Tanto en uno como en otro lado componen poemas circunstanciales, de aliento y soflama. Miguel Hernández, en plena guerra, escribe *Viento del pueblo* (1937) y *El hombre acecha* (1937-38), en los que expresa la experiencia colectiva de la guerra. ANTONIO MACHADO escribirá también *Poesías de guerra (1936-39).* JOSE HERRERA PETERE, exiliado, dedica *Guerra viva* (1938) y *Rimado de Madrid* (1946), a la "heroica lucha del pueblo español". Agustín de Foxá, en *El almendro y la espada* (1940), mantiene el tono de compromiso, especialmente en

"Cantos de guerra". DIONISIO RUIDREJO describe en *Poesía en armas* (1940), la guerra con entusiasmo juvenil, "Ahora está la guerra sobre julio / adelantando el alba esclarecida". PEDRO GARFIAS, exiliado, crea durante la guerra *Poesías de la guerra española* (1941). ARTURO SERRANO PLAJA, exiliado, publica en 1945, *Versos de guerra y paz,* en los que el sentimiento de angustia de la guerra se atenúa con la esperanza del triunfo último. La guerra seguirá presente pasados los años en los poemas de JOSE AGUSTIN GOYTISOLO, *Años decisivos* (1961); ANGEL GONZALEZ, *Sin esperanza, con convencimiento* (1961); JORGE GUILLEN, *Aire nuestro y otros poemas* (1973); JOSE ANGEL VALENTE, *Punto cero* (1980), entre otros muchos. La narrativa es el género que fija una y otra vez su mirada en la guerra fratricida, la que cuenta y describe el destino cruel, la agonía y la exaltación de los hombres que participan o sufren las consecuencias de la lucha armada. Durante casi cincuenta años, desde el principio mismo de la contienda hasta nuestros días, los novelistas toman como objeto narrativo los años que van de 1936 a 1939. En los primeros años, sobre todo, son novelas de testimonio, relatos de la experiencia personal en el frente o en la retaguardia. Al terminar la guerra, la temática sigue atrayendo como punto de referencia y evocación inevitable, tanto a los escritores que permanecen en España como a aquellos que toman el camino del exilio. Sería imposible enumerar todas las que se han publicado, pero pueden permitir una aproximación suficiente las que se señalan a continuación. FRANCISCO CAMBA presenta en *Madrigrado* (1936), la situación en el Madrid "rojo" del comienzo de la guerra. *Memorias de un aparecido. Relato fiel del sangriento drama español* (1937) de PEDRO DE REPIDE, describe la vida en Madrid durante el primer año de la contienda. JOSE MUÑOZ SAN ROMAN, escribe una "novela episódica de la guerra", *Las fieras rojas* (1937) y, un año después, *Señorita en la retaguardia* (1938). CONCHA ES-

PINA escribe varias novelas durante la guerra, *Retaguardia* (1937), *La carpeta gris* (1938), *Las alas invencibles* (1938), *Esclavitud y libertad (diario de una prisionera)* (1938). Al terminar la guerra sigue con igual temática bélica en *Luna roja* (1939) y *Princesas del martirio* (1941). El humorismo no se sustrae a la tentación de utilizar la guerra en tono paródico, así, J. PEREZ MADRIGAL, *El miliciano Remigio pa la guerra es un prodigio* (1937). EDUARDO ZAMACOIS, exiliado, también escribe durante la guerra, *El asedio de Madrid* (1938), sobre la vida cotidiana en la ciudad sitiada. Ramón J. Sénder, exiliado, publica en forma de documental *Contraataque* (1938) y recoge de nuevo el tema en la tercera parte de *Crónica del alba* (1966), en la novela simbólica *El rey y la reina* (1949) y, por último, escribe con cierto tono humorístico *El superviviente* (1978). FELIPE XIMENEZ DE SANDOVAL traza el retrato ideal del falangista, en *Camisa azul* (1938). Arturo Barea, exiliado, publica una serie de relatos breves, *Valor y miedo* (1938), sobre la experiencia de la guerra; y vuelve sobre ella en la tercera parte de la trilogía *La forja de un rebelde* (escrita entre 1939 y 1941), *La llama* (publ. 1951). José Herrera Petere, exiliado, escribe en prosa épica su "Epopeya", *Acero de Madrid* (1938) y las novelas, *Cumbres de Extremadura (Novela de Guerrilleros)* (1938), sobre los guerrilleros republicanos en la zona ocupada por los nacionales, y *Puente de sangre* (1938), en la que encomia el valor de un joven miliciano. Agustín de Foxá, escribe en prosa *Madrid de Corte a checa* (1938), en la que los personajes reales se entremezclan con los ficticios. Aunque publicada en 1980, BENJAMIN JARNES escribió en estos años *Línea de fuego* (1938-40). JOSE ANDRES VAZQUEZ publica antes de terminar la guerra *Armas de Caín y Abel* (1938) y, un año después, *Héroes de otoño* (1939). RAFAEL GARCIA SERRANO incorpora su pluma desde el principio a la literatura combativa, en *Eugenio, o la proclamación de la primavera* (1938), expone los ideales que animan a

99

los jóvenes falangistas; en *La fiel infantería* (1942), relata la vida en las trincheras y, en *Plaza del castillo* (1951), muestra la actitud beligerante de la inmediata preguerra. Contribuyen a la temática bélica LUIS ANTONIO DE VEGA con *Como las algas muertas* (1938); BENIGNO BEJARANO, *Enviado especial* (1938) y RAFAEL VIDIELLA, *Los de ayer* (1938). JOSE MARIA SALAVERRIA escribe tres novelas sobre la lucha "contra los enemigos de nuestra fe, de nuestra tradición, de nuestra unidad nacional", *Cartas de un alférez a su madre* (1939), *Entre el cielo y la tierra* (1939) y *El hada y los chicos* (1939). El Madrid en guerra retorna en *La ciudad de los siete puñales* (1939) de EMILIO CARRERE, y *La ciudad sitiada* (1939) de JESUS E. CASARIEGO. CRISTOBAL DE CASTRO publica una novela corta sobre la tragedia de la muerte, *Mariquilla barre barre* (1939). RAFAEL LOPEZ DE HARO cuenta con tres novelas, más bien folletinescas, sobre la guerra, *Adán, Eva y yo* (1939), *La herida en el corazón* (1939) y *Fuego en el bosque* (1939). WENCESLAO FERNANDEZ FLOREZ abandona el humorismo en su primera novela después de la guerra, *Una isla en el mar rojo* (1939), en la que ofrece una reflexión sobre la lucha civil; posteriormente, en *La novela número 13* (1941), vuelve a la sátira humorística. De tono belicista es *Se ha ocupado el kilómetro 6* (1939) de CECILIO BENITEZ DE CASTRO. En 1939 escriben también ANTONIO REYES HUERTAS, *La grandeza del hombre*, y CARLOS ARAUZ DE ROBLES, *Mar y tierra*. El premio de novela Vértice que estipula que "el asunto de la novela sea un asunto de guerra", lo gana PEDRO ALVAREZ en 1939 con *Cada cien ratas, un permiso*. Recibe mención especial la novela de ANTONIO HERNANDEZ GIL *Fondo de estrellas* (1939). Al terminar la guerra la novela rosa incorpora a su argumento característico el drama del conflicto bélico, así, la trilogía *Dos Españas* (1939-1941), *El chófer de M.ª Luz* (1941) y *Sexta bandera* (1942) de RAFAEL PEREZ Y PEREZ. *A sus órdenes mi coronel* (1939) de CONCHA

LINARES BECERRA. *Pilar* (1939) de FRANCISCO BON-
MATI DE CODECIDO, y *¿Quién sabe?* (1940) de CAR-
MEN DE ICAZA. El humorismo vuelve también a aparecer con E. DE LA PEÑA, *Guerrerías* (1939). *Las primeras jornadas y otras narraciones de la guerra española*
(1940) de VICENTE SALAS VIU, exiliado en Chile, recoge los relatos testimoniales compuestos durante la
guerra. ENRIQUE NOGUERA escribe *Mascarada trágica* (1940), en la que cada capítulo lleva como título un
verso del «Cara al sol». En 1941 JOSE ANTONIO GI-
MENEZ ARNAU publica *El puente*, sobre la juventud
combatiente y EDGAR NEVILLE, *Frente de Madrid*, novelas cortas reunidas bajo el título de la primera. El
joven falangista, *Leoncio Pancorbo* (1942) de JOSE MA-
RIA ALFARO, supera su egoísmo personal para incor-
porarse a la lucha, en la que muere. Los dos primeros
relatos de *Del cielo y del escombro* (1942) de Arturo Serrano Plaja, exiliado, versan sobre la guerra civil.
Igualmente, la novela de SALVADOR GONZALEZ ANA-
YA, *Luna de sangre* (1942). Bajo el seudónimo de JAI-
ME DE ANDRADE el general FRANCISCO FRANCO escribe *Raza* (1942), sobre "episodios inéditos de la Cruzada española". *La quinta soledad* (1943) de PEDRO DE
LORENZO se basa en las vivencias de un detenido en
zona nacional. Casi cuarenta años más tarde publica
La soledad en armas (1980), de estructura enteramente
dialogada, en la que los personajes evocan la guerra
durante la noche del 23 de agosto de 1939. Max Aub,
exiliado, en la serie *Campo cerrado* (1943), *Campo de
sangre* (1945), *Campo abierto* (1951), *Campo del moro*
(1963) y *Campos de almendros* (1968), narra el proceso
y evolución de la guerra hasta la caída de la República. TOMAS BORRAS, comprometido políticamente
con el Alzamiento, publica *Checas de Madrid* (1944), en
la que da la visión de la capital envuelta en odio. PAU-
LINO MASIP, exiliado, en *El diario de Hamlet García*
(1944), presenta al intelectual que se resiste a interve-
nir en la lucha. MANUEL D. BENAVIDES escribe en

el exilio *La escuadra la mandan los cabos* (1944). MANUEL ANDUJAR, exiliado, comienza su producción sobre este tema con *Partiendo de la angustia* (1944) y continúa con *Cristal herido* (1947), *Los lugares vacíos* (1971) e *Historias de una historia* (1973, ed. íntegra 1986), en las que cuenta unas "historias" insertas en el marco de la guerra civil, desde la óptica republicana. El relato de PEDRO GARCIA SUAREZ, *Legión 1936* (1945), recupera la figura de Millán Astray. *Monte de Sancha* (1950) de MERCEDES FORMICA, presenta el ambiente de subversión y venganza que propicia la guerra. ANGEL OLIVER da la visión de la contienda en Cartagena en *Los canes andan sueltos* (1952). JOSE MARIA GIRONELLA en *Los cipreses creen en Dios* (1953) y *Un millón de muertos* (1961), cuenta a través de los personajes las circunstancias que rodean a una ciudad —Gerona— durante la guerra. VIRGILIO BOTELLA PASTOR, exiliado, describe el desarrollo de la guerra, en *Por qué callaron las campanas* (1953) y *Así cayeron los dados* (1959). En *Mi idolatrado hijo Sisí* (1953), MIGUEL DELIBES muestra la incidencia trágica de la lucha fratricida en el seno del núcleo familiar. RICARDO FERNANDEZ DE LA REGUERA recrea la experiencia de un soldado durante la guerra en *Cuerpo a tierra* (1954). También *Las lomas tienen espinos* (1955), de DOMINGO MANFREDI, narra la experiencia personal del combatiente. ANGEL MARRERO, publica *Todo avante* (1955), ANGEL RUIZ AYUCAR *Las dos barajas* (1956) y CONCHA CASTROVIEJO *Vísperas de odio* (1958). ROBERTO RUIZ, exiliado en México desde niño, escribe *Plazas sin muros* (1960) y *Los jueces implacables* (1970). La trilogía *Los mercaderes: Primera memoria* (1960), *Los soldados lloran de noche* (1964), *La trampa* (1969) de ANA MARIA MATUTE, tienen como punto de referencia la guerra civil, a través de la evocación de unos hechos dolorosos que han marcado a los personajes. SALVADOR GARCIA DE PRUNEDA, en *La soledad de Alcuneza* (1961), describe los años de la guerra con cierto distanciamiento ideológico, algo similar sucede en *La encrucijada de Carabanchel* (1963). HECTOR VAZQUEZ AZPIRI, en *La navaja* (1965), muestra al niño enfrentado a la guerra de los adultos. Ese mismo año, LUIS DE DIEGO publica *La presa del diablo* (1965), sobre la peripecia dolorosa y a la vez entusiasta de dos hermanos durante la guerra, y JUAN CEPAS, *Provisional* (1965). CONCHA ALOS presenta en *El caballo rojo* (1966) la miseria y el hambre de la población en guerra. En *Señas de identidad* (1966) de JUAN GOYTISOLO, Alvaro sigue rastreando veinte años más tarde la imagen del padre fusilado en la guerra. IGNACIO AGUSTI, continúa la crónica de la vida española, en *La ceniza fue árbol*, con *19 de Julio* y *Guerra civil* (1966-1972). LUIS ROMERO retrata los primeros y últimos días de la guerra, en *Tres días de Julio (18, 19, 20 de Julio de 1936)* (1967) y *Desastre en Cartagena (Marzo de 1939)* (1971). ANGEL MARIA DE LERA compone el ciclo titulado "Los años de la ira": *Las últimas banderas* (1967) y *Los que perdimos* (1974), sobre los últimos meses de la guerra. *Río Tajo* (publ. en castellano 1968) de CESAR M(UÑOZ) ARCONADA, exiliado, evoca las hazañas de los hombres del pueblo en la lucha. MANUEL POMBO ANGULO escribe *La sombra de las banderas* (1969). CAMILO JOSE CELA, en *Vísperas, festividad y octava de San Camilo de 1936 en Madrid* (1969), explora el ambiente en que se fragua la guerra y vuelve a la temática de la lucha civil en Galicia, en *Mazurca para dos muertos* (1983). *Verano de Juan El "Chino"* (1971) de CLAUDIO DE LA TORRE es, según Ignacio Soldevila, una alegoría de la guerra civil, "alegoría de todas nuestras guerras civiles y en último término de la guerra". JULIO SANZ SAINZ, exiliado, escribe con tono antibelicista *Los muertos no hacen ruido* (1973), subtitulada "Novela de guerra para leer mientras dura la paz". En 1974 RODRIGO ROYO publica *Todavía*. JESUS TORBADO crea una ficción histórica, *En el día de hoy* (1976), sobre la hipótesis de la victoria republicana. La situación del niño en la guerra reaparece en *Dame el fusil, pequeño* (1977) de JOSE FERNANDEZ CORMEZANA. CARMEN MARTIN GAITE, en *El cuarto de atrás* (1978), desgrana los recuerdos de una adolescencia en la que la guerra supone las restricciones y el final de los juegos. JOSE ASENJO SEDANO da también la versión de la guerra desde la perspectiva infantil en *Conversación sobre la guerra* (1978). En 1979, JOSE MARIA PEREZ PRAT escribe con el seudónimo de JUAN ITURRALDE *Día de llamas,* y se publica la obra póstuma de SEGUNDO SERRANO PONCELA, *La viña de Nabot.* En relación con la contienda publica ODON BETANZOS, exiliado, *Diosdado de lo alto* (1980). En *Jaque a la dama* (1982) de JESUS FERNANDEZ SANTOS, la peripecia sentimental de la protagonista se desencadena en la guerra. JUAN BENET sitúa también en el período de la guerra *Herrumbrosas lanzas* (1983). JOSE LUIS OLAIZAOLA, en *La guerra del general Escobar* (1983), rehace los años de la guerra en el frente a través del proceso de un general que no participa en el Alzamiento por sus principios de lealtad al juramento al gobierno republicano.

A partir de los años cuarenta las guerras que han asolado a la humanidad se han hecho también presentes en la literatura. La Segunda Guerra Mundial aparece en: *Línea Sigfried* (1940) de José Antonio Giménez Arnau, *Elegía a la Presa de Dnieprostoi* (1941) de Pedro Garfias, *Versos del Maquis* de CELSO AMIEVA, seudónimo de JOSE MARIA ALVAREZ POSADA y *El largo viaje* (1981) de JORGE SEMPRUN. La participación de los españoles en esta guerra a través de la División Azul se puede encontrar en: *Poesía en armas (Cuadernos de la campaña de Rusia)* (1944) de Dionisio Ruidrejo, *División 250* (1954) de TOMAS SALVADOR, *La Rusia que conocí* (1955) de ANGEL RUIZ AYUCAR y *Tudá* (1957) de LUIS ROMERO. La guerra de Vietnam ha sido dra-

matizada por Max Aub, en *Retrato de un general* (1968).
Durante la guerra fría ALFONSO SASTRE lleva a la escena *Escuadra hacia la muerte* (1952), sobre la futura
Tercera Guerra Mundial.

* * *

Se pueden consultar los siguientes estudios literarios sobre la guerra: E. GOMEZ BARQUERO (ANDRENIO), "Valle Inclán: las novelas de la guerra carlista", en Novelas y novelistas (1918). J. GARCIA DURAN, *Bibliografía de la guerra civil española* (1964). M. BERTRAND DE MUÑOZ, "Bibliografía de la novela de la guerra civil española" (1968), y *La guerra civil española en la novela*, 2 volúmenes (1982). M. J. MONTES, *La guerra española en la creación española* (1970). J. L. S. PONCE DE LEON, *La novela española de la guerra civil, 1936-39* (1971). J. C. MAINER, *Falange y literatura* (1971). N. CALAMAI, *El compromiso de la poesía en la guerra civil española* (1973). C. ROJAS, *La guerra civil vista por los exilados* (1975). M. AZNAR SOLER, *Pensamiento literario y compromiso antifascista de la inteligencia española republicana*, (1978). S. SALAUN, *La poesía de la guerra en España* (1985). GARCIA LARA, GUERRERO VILLALBA y otros, *Literatura y guerra civil* (1988).

27. HERMANOS

La bibliografía sobre los hermanos es poco abundante, pero interesa reseñarla porque destaca, salvo raras excepciones, no el aspecto fraterno y cordial, sino la versión caínita. La envidia entre los hermanos al sentirse uno de ellos preterido o al intentar alcanzar a la misma mujer, lleva, en ocasiones, hasta el crimen, como en los dramas del Siglo de Oro.

La comedia novelesca, con elementos mágico-mitológicos, *La constancia de Arcelina* (1579) de JUAN DE LA CUEVA, muestra la rivalidad entre dos hermanas, Arcelina y Crisea, enamoradas ambas de Menalcio; Arcelina mata a Crisea y huye. LOPE DE VEGA representa en la comedia en verso *Las flores de don Juan* (1619), la enemistad entre dos hermanos. El mayor, don Alonso, engaña en la herencia a don Juan de Fox, pero éste alcanza la riqueza por su trabajo y un ventajoso matrimonio, mientras que Alonso se arruina en el juego. La discordia entre los hermanos por la preferencia de los padres es también el tema de la comedia de GUILLÉN DE CASTRO, *Los enemigos hermanos* (hacia 1618). La competencia por la misma mujer enemista a los hermanos en *El amor en vizcaíno, Los celos en francés y Torneos en Navarra* (primera mitad siglo XVII) de LUIS VELEZ DE GUEVARA. En *El Caín de Cataluña* (hacia 1640, publ. póst. 1651) de FERNANDO DE ROJAS ZORRILLA, Berenguer Ramón asesina por resentimiento al hermano preferido por sus padres, Ramón Berenguer –Abel–. La dilección de los padres por uno de los hijos origina el conflicto entre los her-

manos en *Hasta el fin nadie es dichoso* (hacia 1654) de
AGUSTIN MORETO. *De una causa dos efectos* (hacia
1637) de PEDRO CALDERON DE LA BARCA, insiste
en la rivalidad amorosa de los hermanos. El siglo XVIII,
más comedido en las situaciones conflictivas, no parece haberse sentido atraído por este tema. En el Romanticismo, el DUQUE DE RIVAS presenta a los hermanos vengadores de su padre y del honor de su hermana, en *Don Alvaro o la fuerza del sino* (1835). LEO-
POLDO ALAS, *CLARIN*, en *¡Adiós, "Cordera"!* (1881), da
una de las pocas versiones de relación fraterna cordial en la historia de los dos huérfanos, Rosa y Pinín.
MIGUEL DE UNAMUNO vuelve a la visión cainita en
la novela *El marqués de Lumbría,* de *Tres novelas ejemplares y un prólogo* (1920); Luisa y Carolina, Pedrito y
Rodriguín, reproducen con su actitud intolerante la
imposibilidad de la convivencia fraterna. En el drama
del mismo autor *El otro* (1926), los hermanos se ani-
quilan, presa de los celos y la envidia. No puede olvidarse la imagen fratricida del romance de ANTONIO
MACHADO, *La familia de Alvargonzález,* en *Poesías Com-
pletas* (1917). Las hermanas de *La casa de Bernarda Alba*
(1936), de FEDERICO GARCIA LORCA, mantienen
unas relaciones tensas en el ambiente opresivo creado por la madre, que se acentúa por la competencia
por el único hombre que aparece en sus vidas. ANA
M.ª MATUTE narra en *Los Abel* (1948), la historia de
siete hermanos con el transfondo de cainismo, también presente en *Fiesta al Noroeste* (1953). Adela y Anita, en *Las cartas boca abajo* (1957) de ANTONIO BUE-
RO VALLEJO, perseveran toda la vida en la amargura
y el rencor a causa del hombre que ambas amaron en
la juventud, y sólo una consiguió. CARMEN MARTIN
GAITE, en *Fragmentos de interior* (1976), presenta una
relación normal entre dos hermanos, Isabel y Jaime,
en el seno de una familia de clase media. La obra teatral, *Hay que deshacer la casa* (1983) de SEBASTIAN
JUNYENT, enfrenta a las hermanas a la hora de re-
partir la herencia. *La Balada de Caín* (1986) de MA-
NUEL VICENT cuenta la extraña historia de los dos
hermanos, historia nunca concluida.

28. HIJOS

La convivencia entre padres e hijos en el seno de la institución familiar ha sido recogida por el teatro y la novela conservando así, de alguna manera, un documento de la forma de relacionarse las diferentes generaciones, y del comportamiento de los hijos: respeto, sumisión, conatos de rebeldía, enfrentamientos. Los hijos están bajo la autoridad paterna sin patrimonio propio y, a lo largo del tiempo se observa cómo los condicionamientos sociales son diferentes según el sexo del hijo, tanto en lo que respecta al trabajo o profesión, como al margen de libertad de que gozan.

FERNANDO DE ROJAS, en la *Tragicomedia de Calisto y Melibea* (¿1499?-1500), presenta a Melibea hija única, voluntariosa y falsamente sumisa, capaz de engañar a sus padres, Pleberio y Alisa, con tal de conseguir y disfrutar el amor de Calisto. *La vida es sueño*, (1631-1632) de PEDRO CALDERON DE LA BARCA, plantea las difíciles relaciones entre Segismundo y su padre Basilio. El hijo se siente burlado, manipulado, pero al final triunfa la piedad filial. Paquita, en *El sí de las niñas* (1805) de LEANDRO FERNANDEZ DE MORATIN, utiliza una engañosa sumisión para lograr sus propósitos amorosos. En *Don Alvaro o la fuerza del sino* (1835) del DUQUE DE RIVAS, la infortunada Leonor es "ídolo" de su padre mientras acata sus órdenes, "eres muchacha obediente y yo seré diligente en darte buen acomodo", pero renegará de ella si se rebela. *Los amantes de Teruel* (1837) de JUAN EUGENIO DE HARTZENBUSCH, plantea, además del drama amoroso, la incomunicación entre la madre y la hija, que se resuelve al compartir la misma experiencia y estar ambas dispuestas a sacrificarse. En el caso de *Don Juan Tenorio* (1844) de JOSE ZORRILLA, es el hijo varón el que se enfrenta al padre. MANUEL TAMAYO Y BAUS, en *Hija y madre* (1855), ofrece un melodrama lacrimógeno sobre la ingratitud filial. En *La hija del mar* (1859), ROSALIA DE CASTRO propone un conflicto amoroso entre la madre y la hija frente a un mismo hombre, que prefiere a la joven. Rosarito, en *Doña Perfecta* (1876) de BENITO PEREZ GALDOS, vive dominada por su madre. JACINTO GRAU escribe *El hijo pródigo* (1918), "parábola bíblica en tres jornadas". Las hijas de *La casa de Bernarda Alba* (1936) de FEDERICO GARCIA LORCA, se debaten entre la resignación y la rebeldía. JUAN ANTONIO ZUNZUNEGUI, en *¡Ay, estos hijos!* (1943), *El hijo hecho a contrata* (1956) o *La hija malograda* (1973), muestra los hijos de una sociedad burguesa que subvierten los valores establecidos. *Mi idolatrado hijo Sisí* (1953) de MIGUEL DELIBES, refiere la historia del hijo mimado y consentido de Cecilio Rubes. JUAN MARSE, en *La oscura historia de la prima Montse* (1970), recuerda la tensa situación de una hija de familia "ricatólica" cuando se sale de los moldes impuestos por la sociedad familiar. *Anillos para una dama* (1973) de ANTONIO GALA, da la visión de la hija intransigente de Jimena, la viuda del Cid. JUAN JOSE MILLAS escribe en su primera novela, *Cerebro* (1975), una larga carta al padre, rememorando dolorosa y compasivamente su vida. ALFONSO GROSSO, en *Giralda 2* (1984), ironiza sobre la disipada vida de un hijo de buena familia.

Ver **Niños, madre/padre.**

29. HOMBRE

Intentar hacer una reseña bibliográfica de las obras li-
terarias que toman al hombre como protagonista es tarea
poco menos que inagotable, pues en cualquier drama o
narración el hombre, junto con la mujer, es sujeto de la
trama argumental; sin embargo, a modo indicativo, se pue-
den apuntar algunas tipologías características.

El libertino, don Juan, *El burlador de Sevilla* (1613, publ. 1630) de TIRSO DE MOLINA; *Don Juan* (1844) de JOSE ZORRILLA. El hombre vanidoso y fanfarrón, don García, *La verdad sospechosa* (1634) de JUAN RUIZ DE ALARCON. El hombre víctima de la fatalidad, don Alonso, *El caballero de Olmedo* (1620-1625) de LOPE DE VEGA. El hombre que duda de su propia existencia, Segismundo, *La vida es sueño* (1631-1632) de PEDRO CALDERON DE LA BARCA. El prudente, Critilo, *El Criticón* (1651, 1653, 1657) de BALTASAR GRACIAN. El hombre de bien, el ilustrado, *Cartas marruecas* (póst. 1789). El hombre fuerte de espíritu, que no se deja abatir, Gabriel Espinosa/Don Sebastián, *Traidor, inconfeso y mártir* (1840) de JOSE ZORRILLA, y *El pastelero de Madrigal* (1862) de MANUEL FERNANDEZ Y GONZALEZ. El perseguido político, Leopoldo Artás, *Un servilón y un liberalito* (1857), CECILIA BOHL DE FABER, FERNAN CABALLERO. El hombre de sentimientos primitivos, marido despótico, Pedro Moscoso, *Los Pazos de Ulloa* (1880) y el hombre de oscuros impulsos hacia la muerte, Gaspar Montenegro, *La sirena negra* (1908), de EMILIA PARDO BAZAN. El hombre ambicioso, Fermín de Pas, y el don Juan provinciano, Alvaro Mesia, *La Re-*

genta (1884) y el infeliz cargado de romanticismo, Bonifacio Reyes, *Su único hijo* (1891) de LEOPOLDO ALAS, *CLARIN*. El hombre inconstante y débil de carácter, Juanito Santa Cruz, *Fortunata y Jacinta* (1886-1887); el inadaptado a la vida profesional, Villaamil, *Miau* (1888) y el déspota seductor, don Lope, *Tristana* (1892), de BENITO PEREZ GALDOS. El hombre que no cree en nada ni espera nada, Pío Cid, *Los trabajos del infatigable creador Pío Cid* (1897) de ANGEL GANIVET. El bohemio, inadaptado a la vida social de su tiempo, *Silvestre Paradox* (1901) y el hombre atormentado y, por ese motivo, también inadaptado, Andrés Hurtado, *El árbol de la ciencia* (1911) de PIO BAROJA. El sibarita, que busca continuamente el goce, Bradomín, *Sonatas* (1902-1905) y el hombre derrotado y siempre lúcido, Max Estrella, *Luces de bohemia* (1920) de RAMON DEL VALLE INCLAN. El egoísta que destruye la felicidad de los otros con sus monomanías, *Tristán o el pesimismo* (1906) de ARMANDO PALACIO VALDES. El hombre de exquisita sensibilidad que deforma la realidad, Félix, *Las cerezas del cementerio* (1910), y Sigüenza, *El libro de Sigüenza* (1917) de GABRIEL MIRO. El indeciso, Augusto Pérez, *Niebla* (1914); el envidioso, Joaquín, *Abel Sánchez* (1917) y el que manipula la realidad, Alejandro, *Nada menos que todo un hombre* (1920) de MIGUEL DE UNAMUNO. El seductor, estafador y chantajista, *El caballero Varona* (1921) de JACINTO GRAU. El hombre que duda, "profesor ambulante de metafísica", *El diario de Hamlet García* (1944) de PAULINO MASIP. El hombre sojuzgado por la sociedad actual, *El cementerio de los automóviles* (1952-57) de FERNANDO ARRABAL. El hombre dividido entre la obligación política y el interés personal, *El pan de todos* (1953), y *El soldado revolucionario desconocido* (1979) de ALFONSO SASTRE. El hombre víctima de la sociedad, Pepe, *Los bravos* (1954) y el inconstante, Pablo, *Jaque a la dama* (1982) de JESUS FERNANDEZ SANTOS. El oficinista de vida absurda e in-

111

sulsa, Crock, *El tintero* (1961) de CARLOS MUÑIZ. El trabajador humillado, Joaquín, *Dos días de septiembre* (1962) de JOSE MANUEL CABALLERO BONALD. El hombre que domina haciendas y voluntades, *El Cacique* (1963) de LUIS ROMERO. El hombre que se busca a sí mismo a través de la memoria retrospectiva, Alvaro, *Señas de identidad* (1966) de JUAN GOYTISOLO. El hombre frustrado, *Fauna* (1968) de HECTOR VAZQUEZ AZPIRI. El hombre que se rebela contra su destino, León/Orestes, *El hombre que se parecía a Orestes* (1969), de ALVARO CUNQUEIRO. El hombre derrotado por la guerra y la vida, *Se vende un hombre* (1973) de ANGEL M.ª DE LERA. El hombre desahuciado, *Novela de Andrés Choz* (1976) de JOSE M.ª MERINO. El marginado social, *Antonio B. el Rojo* (1977) de RAMIRO PINILLA. El terrorista, *Y Dios en la última playa* (1981) de CRISTOBAL ZARAGOZA, y *La costumbre de morir* (1981) de RAUL GUERRA GARRIDO. El hombre sin futuro, *Diario de un hombre humillado* (1988) de FELIX DE AZUA. El ejecutivo, César, *Amado amo* (1988) de ROSA MONTERO.

Ver **Donjuanismo, exilio, emigración, guerra, joven, loco, padre, sacerdote, suicida.**

30. HONOR

La estima propia y la consideración ajena están íntimamente ligadas en la literatura española a la fidelidad de la esposa, a la castidad de la mujer de la familia. La propia dignidad del varón está en juego, de ahí la deshonra y la subsiguiente venganza. El honor es una noción, según Americo Castro, ideal y objetiva, "vitalmente realizada en un proceso de vida", la honra. La ofensa al honor exige la inmediata reparación. La honra es vida, la deshonra, muerte.

La comedia *Ymenea* (1517) de BARTOLOME TORRES NAHARRO, es un precedente de la defensa del honor. Himeneo y Febea son soprendidos por el hermano de ésta, que quiere matarla para salvar su honor, pero el desenlace se resuelve felizmente con la boda de los amantes. La mayor producción sobre este tema se da, sin ningún género de duda, en el teatro del Siglo de Oro; pero también MIGUEL DE CERVANTES en una de las *Novelas ejemplares, La fuerza de la sangre* (1613), aborda la deshonra de la mujer, Leocadia, raptada y seducida. Sólo al cabo de los años se casará con el joven que la deshonró, al que perdona. El final es, por tanto, muy comedido respecto a las obras posteriores. Quizá, como dice Juan Luis Alborg, ha primado el principio social de que "la justicia ampara al fuerte y poderoso", en este caso el joven de alta alcurnia. LOPE DE VEGA en la novelita *La más prudente venganza* (1624) condena la venganza sanguinaria. "Los casos de la honra son mejores, porque mueven con fuerza a toda gente...", afirma Lope, considerado el

113

creador del drama de honor, en el *Arte Nuevo de hacer comedias* (1609), de ahí las numerosas obras que escribió sobre este tema. *La batalla del honor* (1608), *La locura por la honra* (1618), *Peribáñez y el Comendador de Ocaña* (1614), *El mejor alcalde el rey* (1623), *El castigo sin venganza* (1631). En todas ellas aparece el drama del honor conyugal, y, la deshonra sólo puede ser lavada con la muerte del seductor o de los adúlteros, si ella es culpable. Poco importa que el ofensor sea noble y el ofendido villano, el honor agraviado tiene que ser castigado, como se evidencia en *Peribáñez* (1614) o *Fuenteovejuna* (1619). GUILLEN DE CASTRO no aplica con la misma dureza las leyes del honor, así en *Engañarse engañando* (1618 ó 1625), *Progne y Filomena* (1618 ó 1625), o cuando el honor de la familia está en juego, en *Las Mocedades del Cid* (1618), hace triunfar el amor sobre el honor. JUAN RUIZ DE ALARCON funda la raíz del honor en la propia conciencia moral; en *La crueldad por el honor* (1627 ó 1634), el protagonista, Sancho Aulaga, no duda en matar a su padre para recuperar el honor paterno. La actitud de ANTONIO VELEZ DE GUEVARA es similar a la de Lope de Vega, el derecho al honor lo posee lo mismo el villano que el noble: *La luna de la Sierra* (1626). En el conflicto entre la fidelidad al rey y el sentimiento del honor que se cree lesionado tiene primacía este último en *Del rey abajo ninguno o labrador más honrado García de Castañar* (1640). En *La serrana de la Vera* (1640) de Vélez de Guevara, y en *Cada cual lo que le toca* (1645) de FRANCISCO ROJAS ZORRILLA, es la propia mujer, Gila o Isabel, respectivamente, las que toman venganza por su propia mano de la deshonra infligida. El drama de honor llega a su cumbre con PEDRO CALDERON DE LA BARCA en *El alcalde de Zalamea* (1636). El honor reside en todo hombre de cualquier categoría social. La justicia y el honor tienen sus raíces en la libertad de Pedro Crespo. En los otros dramas de honor, *A secreto agravio, secreta venganza* (1637), *El médico de su honra* (1637) y *El pintor de su deshonra* (escrita antes de 1651, publicada póstumamente), los celos del marido son una parte importante en el desenlace trágico de la obra. Leonor, Mencía y Serafina mueren, respectivamente, a manos del marido ultrajado. En *No hay cosa como callar* (1639), Leonor defiende su propio honor sin necesidad de recurrir al padre o al hermano. AGUSTIN MORETO en las comedias *El defensor de su agravio* (hacia 1654) y *Primero la honra* (hacia 1654), suaviza los excesos de Calderón. En el Siglo de las Luces el sentimiento y la defensa del honor tiene que someterse al orden establecido. GASPAR MELCHOR DE JOVELLANOS en *El delincuente honrado* (hacia 1770) hace decir al personaje "el verdadero honor es el que resulta del ejercicio de la virtud y del cumplimiento de los propios deberes". El desmesurado afán de lavar el deshonor con sangre recibe así en el siglo XVIII su golpe de gracia. A finales del siglo XIX, el Regente, don Víctor, el marido engañado por Ana Ozores en *La Regenta* (1884) de LEOPOLDO ALAS, *CLARIN*, conserva anacrónicos aires calderonianos que, en último término, le costarán la vida. *Juan José* (1895) de JOAQUIN DICENTA, es un albañil analfabeto que vindica su honra también al modo calderoniano, matando a su mujer y al amante. En el siglo XX, RAMON DEL VALLE INCLAN, lejos ya de los presupuestos de Lope y Calderón, hará una sátira esperpéntica de la honra en *Los cuernos de don Friolera* (1921), desmitificando y burlándose del sentimiento del honor, y ENRIQUE JARDIEL PONCELA parodia el honor en *Angelina o el honor de un brigadier* (1934).

* * *

Con referencia a este tema se puede consultar: J. ARTES, "Bibliografía sobre el problema del honor y de la honra en el drama español", en *FCH*, 1969. AMERICO CASTRO, *Algunas observaciones acerca del concepto del honor en los siglos XVI y XVII* (1916); "El drama de la Honra y la literatura dramática", en *De la edad conflictiva, I* (1961). RAMON MENENDEZ PIDAL, "Del honor en el teatro español", en *De Cervantes a Lope* (1940). ALFONSO G. VALDECASAS, *El hidalgo y el honor* (1958). H. TH. OOSTENDORF, *El conflicto entre el honor y el amor en la literatura española hasta el siglo XVII* (1962).

Ver **Adulterio, celos.**

31. HUMOR

En muchas de las obras de la literatura española aparecen rasgos que se podrían calificar de humorísticos. Juegos de palabras, contrastes conceptuales, antítesis, paradojas, incluso chistes, se pueden encontrar no sólo en la comedia, sino también en el ensayo, en la novela y la poesía. La intención satírica, la caricatura, la burla y la parodia, la ironía y la deformación de la realidad para provocar la hilaridad son frecuentes, incluso, en los autores más sesudos. Por ello, es muy difícil establecer unos límites bibliográficos, cada autor y cada lector tiene un especial sentido del humor. Para Wenceslao Fernández Florez (Discurso de ingreso en la Real Academia), "el humor es, sencillamente, una posición ante la vida", ante lo que causa disgusto —dice— "no hay más que una actitud: la de la burla". Pero una burla "sin crueldad, porque uno de sus componentes es la ternura. Y si no es tierno y comprensivo, no es humor". Concepción que evidentemente está muy lejos de la de Quevedo, Larra o Alvaro de Laiglesia.

El deseo de esclarecer los diversos sentidos del humor ha llevado a ocuparse de ello, desde principios de siglo, a estudiosos y humoristas. Parece, pues, indicado, hacer una relación de estas obras que puedan orientar previamente al interesado en este tema: PIO BAROJA, *La caverna del humorismo* (1919). RAMON GOMEZ DE LA SERNA, *El humorismo* (1931). JOSE ANTONIO PEREZ-RIOJA, *El humorismo* (1942). WENCESLAO FERNANDEZ FLOREZ, *El humorismo en la literatura. Discurso de ingreso en la Real Academia* (1945). JULIO CASARES, *El humorismo. Contestación al discurso*

117

de W. Fernández Flórez en la Real Academia (1945). JESUS CASAL, *El chiste; técnica y análisis* (1950). ANTONIO BOTIN POLANCO, *Manifiesto del humorismo* (1951). JOSEP PLA, *Humor honesto y vago* (2.ª ed., 1956). MARCOS VICTORIA, *Ensayo preliminar sobre lo cómico* (1958). CARLOS BOUSOÑO, "La poesía y la comicidad", en *Teoría de la expresión poética* (3.ª ed., 1962). RAMON ESCARPIT, *El humor* (1962). JUAN CARLOS FOIX, *Humorismo y Dios* (1963). EVARISTO ACEVEDO, *Teoría e interpretación del humor español* (1966). M.ª DOLORES REBES y FRANCISCO GARCIA PAVON, *España en sus humoristas* (1966). J. E. ARAGONES, J. ROF CARBALLO, F. C. SAINZ DE ROBLES, y otros, *El Teatro de Humor en España* (1966). SANTIAGO VILAS, *El humor y la novela contemporánea* (1968). M. ARIZA VIGUERA, *Jardiel Poncela en la novela humorística española* (1974). AA. VV., *El humorismo* (1980).

El primer ejemplo de técnica humorística se puede encontrar en el *Libro del buen amor* (1330, 1343), de JUAN RUIZ, el Arcipreste de Hita. En el siglo XV se escribe el *Cancionero de obras de burla provocante a risa*, y el siglo es pródigo en personajes cómicos, los pastores del *Auto del repelón* (hacia 1500) de JUAN DEL ENCINA, o del *Auto de Sibila Casandra* (1513) de GIL VICENTE, y los *Pasos* (1551-61) de LOPE DE RUEDA. La risa y la sonrisa brotan merced a la parodia de los Libros de Caballería, en *El Quijote* (1605, 1615), y el mismo CERVANTES, en el entremés *El retablo de las maravillas* (1615), ofrece un entretenido cuadro satírico contra las convenciones sociales. GASPAR LUCAS DE HIDALGO, en *Diálogos de apacible entretenimiento, que contiene unas carnestolendas de Castilla* (1605), cuenta anécdotas y chascarrillos divertidos, de subido color. El humor aparece en muchas de las comedias de LOPE DE VEGA, como *La discreta enamorada*, en la que Felisa finge interesarse por el padre para conseguir al hijo; *Los melindres de Belisa* (1606), sátira del esnobismo; *La dama boba* (1617), que por amor deja de serlo; *El acero de Madrid* (1618), en la que la heroína inventa una enfermedad para conseguir la visita de su enamorado. También ANTONIO MIRA DE AMESCUA escribe algunas comedias ligeras como *La Fénix de Salamanca* (1630), o la divertida e inverosímil, *La tercera de sí misma* . TIRSO DE MOLINA escribe en el mismo género ligero y lleno de ingenio, *Don Gil de las calzas verdes* (1635), en la que doña Juana reconquista a su galán, Martín, vistiéndose de hombre; la divertida *Por el sótano y el torno* (h. 1635) y *El vergonzoso en Palacio* (h. 1635), llena de graciosísimas peripecias de final feliz. La comedia de enredo en la que se juega con el equívoco, las ocurrencias, las falsas apariencias, los motivos burlescos, es cultivada por PEDRO CALDERON DE LA BARCA en *La dama duende* (1630), *Casa de dos puertas mala es de guardar* (1630), *No siempre lo peor es cierto*, *No hay burlas con el amor*, etc.; por FRANCISCO ROJAS ZORRILLA, en *Entre bobos anda el juego* (1637), *Donde hay agravios no hay celos* (1640), *Lo que son mujeres* o *Abra el ojo*; por AGUSTIN DE MORETO, en *El desdén con el desdén* (1654) y *El lindo don Diego* (1654). En *Don Diego de noche* (1623), el autor, ALONSO JERONIMO DE SALAS BARBADILLO, intercala un epistolario de carácter humorístico y jocoso. FRANCISCO DE QUEVEDO da consejos para conservar el dinero en *Cartas del Caballero de la Tenaza* (escrito en 1600, impreso en 1627), con un humor caricaturesco y satírico, del que hace gala en gran parte de su producción, tanto en las letrillas como en las obras en prosa. De igual carácter son los Entremeses *Las alforjas*, *El Martinillo* o *La maya*, y *Joco sería*, *Burlas veras* (1645) de LUIS QUIÑONES DE BENAVENTE. MARIANO JOSE DE LARRA recurre en algunos de sus *Artículos* (1828-37), a un humor agrio y desencantado. En tono costumbrista publica RAMON MESONEROS ROMANOS, las *Obras jocosas y satíricas de "El curioso parlante"* (1867). *El sombrero de tres picos* (1874) de PEDRO ANTONIO DE

ALARCON, es la primera novela humorística de la época moderna. Las *Humoradas* (1885) de RAMON DE CAMPOAMOR, son una muestra de humor realista y práctico, en forma de máximas lapidarias. En 1876, ven la luz los diálogos humorísticos, *Las tiendas* de CARLOS FRONTAURA. VITAL AZA escribe su primera comedia en 1874, *Basta de Matemáticas*, y, hasta *Bagatelas* (1896), llega a escribir unas sesenta. El mismo año de su muerte, LEOPOLDO ALAS, *CLARIN*, edita una colección de cuentos, *El gallo de Sócrates* (1901). En todos ellos presenta a un personaje enfrentado a una situación anecdótica, que es la que provoca la comicidad. Los *Entretenimientos* y *El horroroso crimen de Peñaranda* de PIO BAROJA, son una muestra del humor intelectual español. En los *Sainetes rápidos* (1917), o en *Me casó mi madre* (1927), CARLOS ARNICHES introduce un personaje cómico en una trama seria. El periodista JULIO CAMBA, en *La rana viajera* (1920) y *Etcétera, etcétera* (1945), humoriza irónicamente la situación de España, siempre la misma, siempre la misma. El humor absurdo, nihilista y a la vez poético, aparece en RAMON GOMEZ DE LA SERNA. A través de las *Greguerías* (1910-1963), de las que escribió millones, da una visión del mundo desde un ángulo diferente: el humorístico, y ello a través de la metáfora insospechada. El sentido irónico y caricaturesco está presente también en los *Disparates* (1921). Las excentricidades, las greguerías y disparates son constantes en cualquiera de sus novelas, *La viuda blanca y negra* (1918), *El doctor Inverosímil* (1921), *La hiperestesia* (1934), o *Policéfalo y Señora* (1932), que capitula con palabras ilegibles: *ppptr, Lnfenccrrssier...* El humor como actitud ante la vida, burlona y comprensiva, preside la mayor parte de la obra de WENCESLAO FERNANDEZ FLOREZ, desde *Los que no fuimos a la guerra* (1916), sátira festiva sobre España durante la Primera Guerra Mundial; *Ha entrado un ladrón* (1920), considerada su primera novela humorística; *El secreto de Bar-*

120

ba *Azul* (1923); *Las siete columnas* (1926); *Los trabajos del detective Ring* (1934); *La novela número 13* (1941), o *El sistema Pelegrín* (1949), por citar algunas. Difiere del tono propugnado por el autor, *El malvado Carabel* (1931), en el que la caricatura de un infeliz oficinista madrileño, ridículo superhombre, está realizada con un humorismo ácido e incisivo. ENRIQUE JARDIEL PONCELA proclamaba su aspiración a lo inverosímil, "sólo lo inverosímil me atrae y subyuga". Lo puramente imaginario es la base de la trama de sus obras, "lo imposible, lo absurdo, lo fantástico", tanto en el teatro: *Cuatro corazones con freno y marcha atrás* (1936); *Eloísa está debajo de un almendro* (1940), de entre las múltiples comedias que estrenó, o las novelas como *Amor se escribe sin hache* (1929); *¡Espérame en Siberia, vida mía!* (1930), o *Pero... ¿hubo alguna vez once mil vírgenes?* (1931). El estilo fijado por Fernández Flórez y Gómez de la Serna, se percibe en las novelas de ANTONIO ROBLES, *Novia, partido por 2* (1929), y *Torerito soberbio* (1932); en las comedias y novelas de EDGAR NEVILLE, *Don Clorato de Potasa* (1929), *Música de fondo* (1936), *Futuro imperfecto* (1948), *La piedrecita angular* (1958), y en las comedias de VICTOR RUIZ IRIARTE, como *El landó de seis caballos* (1950). El humor absurdo y negro, con asociaciones insólitas, "es como un sueño inverosímil que al fin se ve realizado" de MIGUEL MIHURA, que se inaugura con *Los tres sombreros de copa* (escrita en 1932 y no estrenada hasta 1952), supone una ruptura con el teatro cómico al uso, como el de ALFONSO PASO, en *Educando a un idiota* (1965), y un largo etcétera. ALVARO DE LAIGLESIA colabora con Mihura en *El caso de la mujer asesinadita* (1946). En su abundante producción novelística, desde *Un náufrago en la sopa* (1943), hasta *Morir con las botas puestas* (1980), juega también con el humor absurdo y negro, pero deformando los hechos para provocar la risa, como él mismo dice, para que el lector exclame "¡Qué exageración!". Los títulos efectistas, *La gallina de* *los huevos de plomo* (1951), *Sólo se mueren los tontos* (1955), *Todos los ombligos son redondos* (1956), *Los que se fueron a la porra* (1957), *Una pierna de repuesto* (1960), *Una larga y cálida meada* (1975), *La mujer de Pu* (1979), etc., son un truco más para atacar los tópicos y romper con la rigidez convencional. JUAN JOSE ALONSO MILLAN presenta escenas absurdas a través de diálogos disparatados, en *Operación A* (1959), *El cianuro... ¿solo o con leche?* (1963), y continúa en la misma línea en los años ochenta, *Tratamiento de choque, Los maridos siguen en paro* y *Damas, señoras, mujeres*. LAURA FREIXAS, en la colección de cuentos *El asesino en la muñeca* (1988), narra situaciones cómicas, inusuales, absurdas, a partir de la pura fantasía. *Las compañías convenientes y otros fingimientos y cegueras* (1963) de CAMILO JOSE CELA, presenta una serie de retratos y relatos breves de tono irónico, desenfadado y jocoso. Por último, reseñar la *Antología de humoristas españoles del siglo I al XX* (1957) por JOSE GARCIA MERCADAL.

Ver **Sátira.**

32. INQUISICION

La Inquisición fue el tribunal permanente, distinto del ordinario, que tuvo su origen en la Edad Media, con el fin primordial de perseguir la herejía, y fue retomado en la época de los Reyes Católicos como tribunal que ejercía su jurisdicción en todos los reinos españoles, a lo que se ha llamado la Inquisición moderna. El temor que inspiraba es de todos conocido, de ahí que hasta finales del siglo XIX las referencias de los literatos sean poco explícitas. Sin embargo, el recuerdo permanente de lo que fue hace que se retome en las obras de ficción del siglo XX con cierta profusión.

Fray LUIS DE LEON, en los *Tercetos* (1573-1576), "Huid contentos, de mi triste pecho", considera dichoso al que no conoció al "alto tribunal", ya que él guarda en la memoria su destierro "con público pregón". El *Soneto* "Al Auto de la fe que se celebró en Granada" (¿1585?), atribuido a LUIS DE GONGORA, describe el tablado que se levanta para los reos y la expectación del pueblo. LOPE DE VEGA, en *El niño inocente de la Guardia* (1617), alaba la creación del Santo Oficio. FRANCISCO DE QUEVEDO exclama veladamente en una *Letrilla satírica* (primera mitad siglo XVII), "por callar a nadie se hizo proceso", "chitón". En el siglo XVIII se cuestiona en ciertos sectores la abolición de la Inquisición, entre otras cosas por los conflictos que les crea el tener que someter al Tribunal determinadas reformas. JUAN MELENDEZ VALDES, se refiere a ella en *Oda al fanatismo* (1777, publ. 1820). GASPAR MELCHOR DE JOVELLANOS, en la *Carta a Alejandro*

Hardins (1793-94), desea que se le arranque al Tribunal "la facultad de prohibir libros", aunque piensa que los ánimos no están aún maduros para su abolición. LEANDRO FERNANDEZ DE MORATIN reedita *Auto de fe celebrado en la ciudad de Logroño en... 1610* (1812), y aprovecha para ridiculizar a la Inquisición y los abusos que cometía. Las mismas coplas de la *Trágala* (1820), se regocijan al pensar en su abolición: "Se acabó el tiempo en que se asaba cual salmonete la carne humana." EUGENIO DE TAPIA, bajo el seudónimo de VALENTIN DE MAZO Y CORREA, escribe el poema romántico-burlesco *La Bruja, el Duende y la Inquisición* (1837). La novela *Auto de fe* (1837) de EUGENIO DE OCHOA, refiere el complot del príncipe don Carlos, hijo de Felipe II, y la intervención de la Inquisición en el proceso. JUAN EUGENIO DE HARTZENBUSCH, en *Doña Mencía o La boda en la Inquisición* (1838), presenta un enredo amoroso con un velado ataque a la Inquisición. La novela de FERNAN CABALLERO, *Elia o la España treinta años ha...* (1849), alude con cierta añoranza a la Inquisición: "Si existiese la Inquisición te haría quemar esas láminas." En *Belcebú*, se complace de que la Inquisición esté enterrada, aunque trata de juzgarla con cierta benevolencia. El recuerdo de la Inquisición hace que EMILIA PARDO BAZAN se refiera a ella en *La tribuna* (1883) en irónica comparación con los carlistas. En *Su único hijo* (1890), LEOPOLDO ALAS, *CLARIN*, culpa a la Inquisición del subdesarrollo español. VICENTE BLASCO IBAÑEZ compone una diatriba inflamada contra la Inquisición en *La catedral* (1903) y *El intruso* (1904). BENITO PEREZ GALDOS repulsa al Tribunal en la Primera y Segunda parte de los *Episodios Nacionales* (1873-1875, 1875-1879). PIO BAROJA, en las *Memorias de un hombre de acción*, veinte novelas (1913-1935), ofrece una amplia crónica histórica de la primera mitad del siglo XIX, en la que no faltan las críticas al Santo Oficio. FRANCISCO AYALA incorpora en 1943 el cuento de *El Inquisidor* a *Los Usur-*

padores. El proceso del arzobispo Carranza (1964) de JOAQUIN CALVO SOTELO, dramatiza la célebre causa contra el arzobispo. FRANCISCO RUIZ RAMON utiliza en el drama *El inquisidor* (1964) el marco histórico para incidir en la represión presente. La obra teatral, *Diálogos de la herejía* (1964) de AGUSTIN GOMEZ ARCOS, sobre los iluminados de Llerena, denuncia el poder despótico y la intolerancia de la Inquisición, símbolo del momento en que escribe. MIGUEL DELIBES, en *Cinco horas con Mario* (1966), pone en boca de Carmenchu los tópicos que aún en pleno siglo XX guarda la memoria popular, "la inquisición era bien buena porque nos obligaba a todos a pensar en bueno, o sea, en cristiano...". *Auto de fe* (1968) de CARLOS ROJAS, reconstruye imaginativamente la situación histórica, aunque sin excesiva relación con la Inquisición como tal. SEGUNDO SERRANO PONCELA plantea en *El hombre de la cruz verde* (1969), la investigación de un familiar de la Inquisición sobre un suceso protagonizado por el infante don Carlos, hijo de Felipe II. LUIS DE CASTRESANA relata el proceso de las brujas de Zugarramurdi (Logroño, 1610), en *Retrato de una bruja* (1970). ANGEL GARCIA LOPEZ, en el poema *Auto de fe* (Premio Boscán, 1974), recuerda el tiempo sombrío de la Inquisición, "desgracia son los años, tanta lluvia sin tregua". La obra de teatro de LUIS MATILLA, *Parece cosa de brujas* (1975), es una crítica de la Inquisición y los Autos de fe. *Extramuros* (1979) de JESUS FERNANDEZ SANTOS refiere el proceso y la cárcel al que fueron sometidas las dos monjas acusadas por la Inquisición de falsos milagros. En *La fase del rubí* (1987) de PILAR PEDRAZA, se muestra la presencia habitual del Santo Oficio en una ciudad castellana del siglo XVII y la intervención de la Suprema ante la gravedad de los sucesos, con el consiguiente Auto de fe contra Imperatrice. La *Crónica de un rey pasmado* (1989) de GONZALO TORRENTE BALLESTER ironiza sobre la función del gran Inquisidor y el alto Tribunal

125

en la España del siglo XVII. PEDRO CASALS centra la conjura contra Felipe II en el marco de un Auto de fe en Valladolid en *Las hogueras del rey* (1989).

* * *

Las referencias bibliográficas sobre el hecho de la Inquisición desde el punto de vista histórico desbordan el propósito de este estudio, sin embargo, pueden ser de utilidad, por aproximarse a la literatura: J. VALERA, «Del influjo de la Inquisición y del fanatismo religioso en la decadencia de la literatura española» en *Disertaciones y juicios literarios* (1882). M. DE LA PINTA LLORENTE, *La Inquisición española y los problemas de la cultura y la intolerancia* (1953). J. CARO BAROJA, *El señor inquisidor y otras vidas por oficio* (1968). M. DEFOURNEAUX, *Inquisición y censura de libros en el siglo XVII* (1973). A. MARQUEZ, *Literatura e Inquisición, 1478-1834* (1980).

33. JOVEN

Los personajes que han superado la adolescencia y aún no han llegado a la madurez, han sido el punto de mira de los escritores, y en ellos reflejan el idealismo, el entusiasmo, las ilusiones, la insatisfacción o la rebeldía de una edad que ha de conquistar su propio lugar en el mundo. La bibliografía hasta el siglo XX si no muy extensa, si es significativa; a partir de 1950, el joven se convierte en protagonista de muchas de las novelas realistas, representante de una generación, la propia de los narradores.

Melibea y Calisto encarnan, en la *Tragicomedia de Calisto y Melibea* (¿1499?-1500), una juventud ardorosa, dispuesta a gozar de lo que la vida les ofrece. *Amadís de Gaula*, refundido por GARCI RODRIGUEZ DE MONTALVO, en 1508; *Palmerín de Oliva* (1511), anónima, y toda la larga serie de caballeros, simbolizan el ideal del joven perfecto al estilo medieval, atrevido, valiente, cortés, justo, fuerte, buen enamorado. Las *Novelas ejemplares* (1613) de MIGUEL DE CERVANTES, como *La ilustre fregona, La gitanilla, La española inglesa*, ofrecen el retrato idealizado de Constanza, Preciosa e Isabel, hermosas y honestas. Sansón Carrasco, en *El Quijote* (1605-1615), es un joven bachiller, amable y razonador, dispuesto a curar la locura del hidalgo. En *El caballero de Olmedo* (1620-1625), de LOPE DE VEGA, don Alonso es un modelo de cumplido enamorado, víctima de la fatalidad. Segismundo, en *La vida es sueño* (1631-1632) de PEDRO CALDERON DE LA BARCA, busca, sumido en la duda, el sentido de su existencia. Tanto JOSE CADALSO, en las *Cartas marruecas* (póst.

127

1789), como **MARIANO JOSE DE LARRA** en los *Artículos* (1832-1837), se muestran severos y críticos con una juventud a la que tachan de ineducada y frívola. Las *Leyendas* (1861-1864, póst. 1874) de **GUSTAVO ADOLFO BECQUER**, son pródigas en figuras juveniles; Manrique en *El rayo de luna*, el Capitán en *El beso*, Fernando en *Los ojos verdes*, Alfonso de Orellana en *La Ajorca de oro*, son inquietos, desasosegados, en busca del ideal del amor. En *El escándalo* (1875), **PEDRO ANTONIO DE ALARCON** presenta a un joven aristócrata, Fabián Conde, libertino, que gracias al amor de Gabriela se arrepiente de su vida pasada. *Tristana* (1892), de **BENITO PEREZ GALDOS**, pobre, ignorante, dependiente y dispuesta, sin embargo, a lograr su libertad, acaba abdicando de su rebeldía juvenil. Silda, la protagonista de *Sotileza* (1884) de **JOSE M.ª PEREDA**, es una joven atractiva, altiva y honesta. **AZORIN** narra, en *Antonio Azorín* (1903) y *Las confesiones de un pequeño filósofo* (1904), sus recuerdos de infancia y adolescencia. Andrés Hurtado en *El árbol de la ciencia* (1911), de **PIO BAROJA**, encarna el inconformismo de una juventud frente a una sociedad apática. En *La forja* (1951), primera parte de la trilogía *La forja de un rebelde* (escrita entre 1939-1941) de **ARTURO BAREA**, un joven de clase humilde trata de abrirse camino en la vida. **CARMEN LAFORET**, en *Nada* (1945), cuenta la difícil situación de una joven estudiante de clase media en la Barcelona de la posguerra. **RAFAEL SANCHEZ MAZAS** cuenta las experiencias de un adolescente en su tránsito a la juventud, en *La vida nueva de Pedrito de Andia* (1951). En *Juegos de manos* (1954) de **JUAN GOYTISOLO** los jóvenes burgueses se comprometen apasionadamente, pero de modo efímero, en la política. *El Jarama* (1956), de **RAFAEL SANCHEZ FERLOSIO**, presenta una pandilla de jóvenes de los años cincuenta en una excursión de domingo truncada por una muerte que les deja desarbolados. Los protagonistas de *Entre visillos* (1958) de **CARMEN MARTIN GAITE** son jóvenes de una capital de provincias que rechazan los convencionalismos a los que están sometidos. JUAN GARCIA HORTELANO describe críticamente en *Nuevas amistades* (1958) el comportamiento de los jóvenes universitarios burgueses. *Caridad la negra* (1961) de JOSE MARIA CASTILLO NAVARRO, refiere la historia de una joven condenada a la prostitución por ser hija de una mujer de la vida. LUIS MARTIN-SANTOS, en *Tiempo de silencio* (1962), da fe de una juventud, encarnada en Pedro, condenada primero al silencio, y como dice el protagonista de su última obra, a la destrucción —*Tiempo de destrucción*, (1975, póstuma e inconclusa)—. LUIS GOYTISOLO, en *Con las mismas palabras* (1962), ofrece la visión de los jóvenes burgueses comprometidos en una actividad política, reducida a palabras y proyectos. *Oficio de muchachos* (1963) de MANUEL ARCE, presenta a la joven generación desprovista del sentido de la vida. JESUS FERNANDEZ SANTOS da, en *Laberintos* (1964), una visión negativa de una juventud frívola y abúlica; y en *Jaque a la dama* (1982), muestra cómo la juventud no es garantía de felicidad. JUAN MARSE, en *Esta cara de la luna* (1962, revisión modificada 1970) y *Ultimas tardes con Teresa* (1966), toma como personajes centrales a los jóvenes, los hijos de los vencedores de la guerra, y analiza con gran ironía su compromiso universitario, político y social. En *Réquiem por todos nosotros* (1968) de JOSE M.ª SANJUAN, los jóvenes aparecen emborrachados por la necesidad de aturdirse y divertirse, por el vértigo de la velocidad. RAUL GUERRA GARRIDO, en *Ni héroe ni nada* (1969), retrata a Luis, joven estudioso, idealista, absorbido por la sociedad. La juventud de 1956, personificada en Werther, inconformista y en busca de su identidad, aparece en *Eldorado* (escrita 1960, publ. 1984) de FERNANDO SANCHEZ DRAGO. El compromiso político superficial de los jóvenes estudiantes de Derecho en los años sesenta vuelve en la novela *El*

129

carro de heno (1987) de JOSE LUIS GIMENEZ-FRON-
TIN. GONZALO TORRENTE BALLESTER, en *Filomeno
a mi pesar* (1988), narra la peripecia vital de Filome-
no/Ademar que va perfilando su personalidad.

Ver **Donjuanismo, estudiantes, hermanos, hijos,
pareja, pícaro.**

34. LOCURA

El interés por los personajes que presentan ciertas anormalidades o trastornos de las facultades mentales es característico de la literatura moderna y contemporánea, por razones que son evidentes: los avances de la psiquiatría y el desequilibrio del mundo actual invita a los autores a crear individuos que se debaten en un universo absurdo. La sensibilidad enfrentada a una realidad hostil cede a la locura, se refugia en una realidad relativa, la mental.

Sin embargo, el primer loco genial pertenece al Siglo de Oro. MIGUEL DE CERVANTES indudablemente conocía el *Examen de ingenios* (1575) de HUARTE DE SAN JUAN, y en *El Quijote* (1605, 1616), muestra cómo para don Alonso los límites de la realidad son imprecisos y no puede distinguir la verdad de la mentira, conservando, no obstante, la conciencia (distinción entre Aldonza/Dulcinea), en lo que hoy se llamaría rasgos de paranoia. El mismo Cervantes, en *El licenciado Vidriera* (1613), describe los síntomas de esquizofrenia de Tomás Rodaja, que cree ser de vidrio. LOPE DE VEGA, en 1620, cuenta las aventuras amorosas de dos locos fingidos, Florián y Erfila, y los locos verdaderos de un manicomio en *Los locos de Valencia* (1620); la línea divisoria entre locos y cuerdos es poco clara, lo que aumenta la farsa. La aportación del Romanticismo al tema de la demencia vendrá a través del drama de la reina loca en *Locura de amor* (1855) de MANUEL TAMAYO Y BAUS. En *El primer loco* (1881), última novela de ROSALIA DE CASTRO, la pasión no correspondida de Luis por Berenice lleva a la locura al amante. BENITO PEREZ GALDOS presenta varios casos de locura; Rosarito, en *Doña Perfecta* (1876), pierde la cabeza y tiene que ser internada en San Baudilio; Daniel, el protagonista de *Gloria* (1877), pierde la razón. La locura y la muerte se unen al ansia de desaparecer y perderse de Isidora, en *La desheredada* (1881). Y el desamor de Fortunata conduce al desequilibrio psíquico a Maximiliano Rubin, en *Fortunata y Jacinta* (1886-87). JOSE ECHEGARAY aborda la locura en tres obras de teatro, *El hijo de don Juan* (1892), Lázaro es víctima de la ley de la herencia, la locura; *La duda* (1898), en la que Amparo se vuelve loca al dudar del amor de su marido, Ricardo, y *El loco de Dios* (1900), Gabriel, un superhombre con grandes propósitos ideales, en el que todos, excepto su novia, ven síntomas de desequilibrio. En *La casa de Aizgorri* (1900) de PIO BAROJA, la familia ha degenerado en idiotas o locos. María Rosario, dividida íntimamente entre la seducción del Marqués de Bradomín y su religiosidad mística, en *Sonata de Primavera* (1904) de RAMON DEL VALLE INCLAN, pierde la razón al caer por la ventana su hermana menor. Julia, en *Nada menos que todo un hombre* (1920) de MIGUEL DE UNAMUNO, es encerrada en un manicomio por su marido hasta que, paradójicamente, niega la realidad; en 1926 Unamuno expone el drama de la identidad personal en *El otro*, la imposible síntesis de ser el uno y el otro, de ser uno mismo. WENCESLAO FERNANDEZ FLOREZ ofrece en *Visiones de neurastenia* (1923) una serie de cuentos en tono humorístico: "Cuando descubrí que estaba neurasténico tuve uno de mis mayores disgustos...". En la línea de planteamientos abstractos de personalidad, BENJAMIN JARNES publica la novela *Locura y muerte de nadie* (1929), en la que Juan Sánchez padece un complejo de frustración. JACINTO GRAU estrena, en 1930, *Los tres locos del mundo*. RAMON GOMEZ DE LA SERNA presenta en *La hiperestésica* (1934) a una Elvira loca de remate, llena de disparates e incongruencias. La locura de Josefa es la escapatoria del mundo creado por Bernarda, la manera de fugarse de la ley impuesta a las hijas en *La casa de Bernarda Alba* (1936) de FEDERICO GARCIA LORCA. La novela y el teatro de los últimos cuarenta años hace del inadaptado, en frágil equilibrio con el mundo que le rodea, uno de sus personajes principales. La catalogación en cuerdo o loco no siempre es fácil. Los límites entre la cordura y la demencia son imprecisos en un mundo que se describe desquiciado. En *Nosotros los muertos (Relato del loco Basilio)* (1948), MANUEL SANCHEZ CAMARGO hace el reportaje de un manicomio, símbolo de la España de posguerra. CAMILO JOSE CELA, en *La Colmena* (1951), cuenta, en el capítulo V, la pequeña historia del enfermo-loco que se suicida porque huele a cebolla. En *El loco* (1953) de MIGUEL DELIBES, los dos personajes, Lenoir y Robinet, presentan síntomas de insania. El primero con sus ideas fijas, su obsesión por la figura de Robinet, y éste por su ansia de fama, de inmortalidad. ¿Se trata de un caso de doble personalidad? Pablo Cossío, en *La gota de mercurio* (1954) de ALEJANDRO NUÑEZ ALONSO, siente escindida su personalidad, es un paranoico con la personalidad desintegrada. En otros casos, como en *La casa de los siete balcones* (1957) de ALEJANDRO CASONA, Genoveva escapa de un mundo de ambición, engaño, lujuria y egoísmo, negándole. Preserva su pureza a través de la locura. Su marcha al manicomio no es sino la marcha al reino del amor. ANTONIO BUERO VALLEJO aborda en dos obras teatrales esta negación de la realidad; en *Las cartas boca abajo* (1957), la hermana soltera, Anita, no habla, su mutismo —posible forma de histeria— no es sino el rechazo de la comunicación, el refugio de su fracaso. En *El tragaluz* (1967), el origen de la locura del padre hay que buscarlo en el antagonismo entre sus dos hijos, Mario y Vicente, así él es incapaz de reconocerlos. La madre de *Noviembre y un poco de yerba* (1967) de ANTONIO

GALA, inventa un pasado que no existió para liberarse de sus frustraciones. RAMON HERNANDEZ, en la novela *La ira de la noche* (1970), presenta el siguiente diagnóstico de Walia, internada en un manicomio: "múltiple escisión de la personalidad en el espacio y en el tiempo". El mismo autor, en 1975, publica *Eterna memoria*, en la que Ernesto Obermaidan es víctima de las fuerzas opresivas de la sociedad. La demencia, la destrucción de su personalidad, pone en evidencia el absurdo de la vida moderna. En los diferentes relatos de *Las tapias* (1968), ANTONIO MARTINEZ MENCHEN aborda la temática de la enajenación mental. *Luz de memoria* (1976) de LOURDES ORTIZ presenta a Enrique aquejado de esquizofrenia, en tratamiento psicoanalítico. ROSA ROMA, en *La maraña de los cien hilos* (1976), refiere la situación de Begoña, declarada mentalmente enferma y recluida en un manicomio, que revive su pasado en un intento de tomar conciencia de sí misma. *Los renglones torcidos de Dios* (1979) de TORCUATO LUCA DE TENA, muestra diversas patologías de los enfermos internados en un manicomio, en especial de la enigmática Alicia Gould. La intriga policial de EDUARDO MENDOZA en *El misterio de la cripta embrujada* (1979) es una parodia en la que el personaje principal, del que desconocemos el nombre, pues siempre se denomina con el de su psiquiatra, Surañes, es un loco internado en un manicomio. El internamiento en un hospital psiquiátrico también aparece en *Nuevo auto de fe* (1980) de GABRIEL GARCIA BADELL. JOSE M.ª GIRONELLA, en *Los fantasmas de mi cerebro* (1958), hace el retrato de su propia enfermedad, y en *Cita en el cementerio* (1983) reitera el tema de la locura. *El mecanógrafo* (1989) de JAVIER GARCIA SANCHEZ, presenta el mundo de un maniaco obsesivo.

* * *

La relación de lo psicológico con la literatura ha sido objeto del estudio de JAVIER DEL AMO, *Literatura y psicología* (1976).

35. MADRE/PADRE

El rol de la madre no varía a lo largo de los siglos. La mujer se siente revalorizada en su sentimiento de inferioridad y dependencia del marido; frente al hijo es útil y responsable. Vuelca el amor, como sentimiento único de posesión y pertenencia, adoptando frecuentemente una postura matriarcal. La figura del padre aparece con menos frecuencia y refleja el deseo de prolongar en el hijo la propia existencia.

Pleberio y Alisa, en la *Tragicomedia de Calisto y Melibea* (¿1499?-1500), asumen el papel de padres amantes de su única hija y se duelen del fracaso de las esperanzas puestas en ella. *Los melindres de Belisa* (1617) de LOPE DE VEGA, plantea el conflicto entre Lisardo y sus hijos. En *La prudencia en la mujer* (1634) de TIRSO DE MOLINA, doña María de Molina vela por el trono de su hijo, el futuro Fernando IV, asediada por la codicia de la Corte; y en *La república al revés*, Tirso presenta a la prudente reina Irene desposeída del trono por su hijo y que, al recuperarlo, antepone sus deberes de gobierno a su amor de madre, condenando a su hijo a ser cegado. *El sí de las niñas* (1805) de LEANDRO FERNANDEZ DE MORATIN, critica en doña Irene a la madre, viuda, que organiza el porvenir de su hija. En *Los amantes de Teruel* (1837) de JUAN EUGENIO DE HARTZENBUSCH, la madre se siente dividida entre la oposición del padre a los amores de su hija, y la comprensión por ésta. *La familia de Alvareda* (1849, publ. 1856) de CECILIA BOHL DE FABER, FERNAN CABALLERO, contrapone la personalidad de Ana, madre de Perico y Elvira, fuerte y laboriosa, con María, mujer simple y sin vigor para corregir a su hija Rita. BENITO PEREZ GALDOS retrata en *Doña Perfecta* (1876) a la madre intransigente, responsable de la locura de su hija. En *Fortunata y Jacinta* (1886-1887), refleja el ansia de maternidad de Jacinta, dispuesta a adoptar al hijo de su marido y su amante Fortunata. En *Torquemada* (1889), la pérdida del hijo amado, Valentín, es el principio de la degradación del protagonista. En *Su único hijo* (1890) de LEOPOLDO ALAS, *CLARIN*, el protagonista, en su egoísmo, cifra su orgullo en la paternidad, "yo nací para esto, ser padre". En *La sirena negra* (1908) de EMILIA PARDO BAZAN, Gaspar desea ser padre sin tener relaciones con ninguna mujer, para que el hijo sea únicamente suyo. Gertrudis, *La Tía Tula* (1921) de MIGUEL DE UNAMUNO, colma su complejo maternal en sus sobrinos, los considera hijos por el querer, por el cariño, no por el amor, que dice ser cosa de libros. En *La esfinge Maragata* (1914) de CONCHA ESPINA, Ramona vive en la zozobra de perder al hijo, de tenerse que separar de él. FEDERICO GARCIA LORCA, en *Yerma* (1934), aborda el fracaso de la maternidad deseada, la esterilidad, y en *La casa de Bernarda Alba* (1936), presenta en Bernarda a la madre despótica que dispone a su arbitrio de la vida de sus cinco hijas. Cecilio Rubes, el padre de Sisí, en *Mi adolatrado hijo Sisí* (1953) de MIGUEL DELIBES, consiente y maleduca al hijo, mientras que la madre es relegada a un papel secundario. MARTA PORTAL, en *Pago de traición* (1983), plantea la relación de dos generaciones, padres e hijos. En *Soy la madre* (1983) de CARMEN CONDE, Laurencia sacrifica su vida y su felicidad a la de su hijo, declarando "me quedaré con lo que soy: madre a secas". ROSA MONTERO en *Crónica del desamor* (1979) muestra a Elena orgullosa de ser ella, como ser propio, la que puede parir, ser madre. Y en *Amado amo* (1988), el frustrado ejecutivo se lamenta, de forma superficial, como en todo lo demás,

136

de no haber tenido hijos, añorando, idealizando lo que éstos le podrían haber aportado. La atención al personaje de la madre ha llevado a ANGEL URRUTIA a recoger los poemas a ella referidos en *Homenaje a la madre. Antología poética española del siglo XX* (1984).

Ver **Hijos.**

36. MAGIA

La utilización de los misterios secretos de la naturaleza
para obtener aquello que escapa a las posibilidades humanas se remonta a los tiempos más lejanos; desde siempre el hombre ha buscado el conocimiento del futuro, po-
nerse en contacto con el más allá, torcer el sino del presente, alcanzar resultados concretos, para lo que utiliza fórmulas y ritos que están generalmente en pugna con los
principios religiosos vigentes. La invocación de los muertos y las artes ocultas que acudían al diablo para propiciar
bienes o males sobre determinados sujetos, eran consideradas heréticas y, por tanto, objeto de conocimiento inqui-
sitorial; sin embargo, cuanto mayores eran las medidas
condenatorias mayor era el atractivo que ejercían sobre el
pueblo supersticioso, que seguía acudiendo a hechizos y
encantamientos para materializar sus propósitos como si,
en última instancia, creyese que la prohibición de la Iglesia o/y de las leyes seculares se debiera precisamente a su
eficacia. Desde estos presupuestos es comprensible la seducción que ha ejercido sobre los escritores, unas veces
para reflejar determinadas situaciones y otras para fanta-
sear sobre ellas.

Ver **Brujas, demonio, fantasía, inquisición.**

37. MATRIMONIO

El matrimonio institucionaliza el amor, consagra socialmente la relación amorosa, convierte el juego de la seducción en una acomodación doméstica que, en principio, interesa poco a la literatura, puesto que la rutina es opuesta
a la exaltación. Los autores se aproximan a la relación matrimonial en tanto en cuanto surge el conflicto que reavi-
va la pasión en el seno de la pareja. Los celos, fundados
o imaginarios, la relación extramatrimonial de uno de los
cónyuges, provocan situaciones que los escritores gustan
de reflejar; así se ha dicho que el amor dichoso no tiene
historia.

Ver **Adulterio, celos, honor, pareja.**

38. MISTICA

*La literatura mística se produce casi exclusivamente en
España durante siglo y medio, pero en ese período su flo-
ración fue tan extraordinaria que ha marcado un hito en
la historia de la literatura y merece un lugar destacado en
el Siglo de Oro. Según Angel Río, "traduce un complejo
estado del alma nacional con una sensibilidad artística,
una espiritualidad y un lenguaje —prosa y verso— iguala-
do por muy pocos escritores profanos"* (Historia de la literatura española, *vol. I, 1962*). *La unión íntima del hombre con Dios a través del conocimiento y el amor es una
experiencia inefable; los místicos recurren a símbolos, ale-
gorías, circunloquios, para expresar lo inexpresable, creando así un género con unos valores estéticos indudables.
La separación bibliográfica entre la ascética y la mística
no siempre es posible, ya que los dones extraordinarios re-
cibidos gratuitamente, el canto al amor divino, viene pre-
cedido, en muchas ocasiones, por avisos que preparan el
alma a recibir el don divino de la contemplación.*

Precursores de la literatura mística son el franciscano FRANCISCO DE OSUNA, en *Abecedario espiritual*
(1525), de carácter práctico y pedagógico más que con-
templativo, pero que supone el arranque de la literatura mística del siglo XVI. Fray BERNARDINO DE LA-
REDO, franciscano, en *Subida del monte Sión por la vía
contemplativa* (primera mitad siglo XVI). Fray LUIS DE
GRANADA, dominico, de obra más ascética que mística, en *Libro de oración y meditación* (1554), *Guía de pecadores* (1556) e *Introducción al símbolo de la fe*

(1582-85), en la que enseña que la ascética es el camino para subir por la belleza del mundo a Dios.

El gran maestro de la mística es el franciscano San PEDRO DE ALCANTARA, en *Tratado de la oración y meditación* (1556-58). El beato ALONSO OROZCO, agustino, en *El vergel de oración y monte de contemplación* (1544), *De la suavidad de Dios* y *Desposorio espiritual* (1565), entre otras, describe el camino hacia la divinidad. San JUAN DE AVILA, en el *Epistolario espiritual, Audi, Filia et vide* y *Avisos y reglas christianas para los que desean servir a Dios aprouechando en el camino espiritual* (1566), afirma que la unión divina es más íntima que la luz del sol que atraviesa la nube. Fray DIEGO DE ESTELLA, franciscano, en *Cien meditaciones del amor de Dios* (1576), expone los tres grados por los que el alma "es arrebatada y transformada en su Dios". Fray JUAN DE LOS ANGELES, franciscano, en *Diálogos de la conquista espiritual y secreto Reyno de Dios* (1595) y *Lucha espiritual y amorosa entre Dios y el alma* (1600), analiza la vida mística del alma que en la intimidad y el silencio quedará transformada y fundida en el objeto amado. El lírico FRANCISCO DE ALDANA, en *Epístola a Arias Montano sobre la contemplación de Dios y los requisitos della* (segunda mitad siglo XVI), de carácter autobiográfico, expone los medios para alcanzar la unión con Dios. Las figuras más sobresalientes de esta generación de místicos son, sin género de duda, los carmelitas Santa TERESA DE JESUS y San JUAN DE LA CRUZ. Santa Teresa expresa el camino hacia Dios, en *El Castillo Interior o tratado de las Moradas* (1577). Su conciencia excepcional de la vida mística la plasma en un tratado sistemático de la unión con Dios. San Juan de la Cruz representa la cumbre de la poesía mística en la *Noche oscura del alma, Cántico espiritual* y *Llama de amor viva.* Publicadas en 1627, después de su muerte, pero escritas entre 1578 y 1584. En la *Noche,* "el alma se goza de haber llegado al alto estado de perfección, que es la unión con Dios, por el camino espiritual", *Cántico* expone el proceso místico hasta la unión con Dios, y en la *Llama* canta el poeta el júbilo de la plena unión. Los comentarios en prosa configuran un tratado de teología mística. Y una última referencia a dos autores controvertidos: Fray PEDRO MALON DE CHAIDE, agustino, cuya obra *La conversión de la Magdalena* (1588), no considerada dentro del género por todos los autores, simboliza a través de la conversión de la pecadora la ascensión del alma desde el pecado y el arrepentimiento hasta la unión mística con Dios. Y MIGUEL MOLINOS, con *Guía espiritual que desembaraza al alma, y la conduce por el interior camino, para alcanzar la perfecta contemplación y el rico tesoro de la interior paz* (1645), considerada heterodoxa, y de la que la Iglesia condenó sesenta y ocho proposiciones, propugna el quietismo, el aniquilamiento total como el camino más corto para elevarse a la divinidad.

* * *

Sobre la literatura mística en general, o sobre aspectos particulares de la misma, se pueden consultar los estudios siguientes: Fray MARCELINO GUTIERREZ, *El misticismo ortodoxo en sus relaciones con la filosofía* (1886). P. JERONIMO SEISDEDOS SANZ, *Principios fundamentales de la mística,* 5 vols. (1913-1917). J. DOMINGUEZ BERRUETA, "Valor representativo de la mística española", en *Basílica Teresiana, IV* (1918). P. SAINZ RODRIGUEZ, *Introducción a la historia de la literatura mística* (1927). J. DOMINGUEZ BERRUETA, *Filosofía mística española* (1947). J. G. ARINTERO, *La evolución mística* (1952). Fray NAZARIO de SANTA TERESA, *Filosofía de la mística. Análisis del pensamiento español* (1953). H. HATZFELD, *Estudios literarios de la mística española* (1955). J. M. de la C. MOLINER, *Historia de la literatura mística en España* (1961). F. PAGES, *La vivencia en la mística* (1962). R. RICARD, "La mística española y la tradición cristiana", en *Estudios de literatura religiosa española* (1964). F. MARQUEZ VILLANUEVA, *Espiritualidad y literatura en el siglo XVI* (1968). C. MORON ARROYO, *La mística española* (1971). A. L. CILVETI, *Introducción a la Mística española* (1974).

Sobre los autores reseñados: P. LAIN ENTRALGO, *La antropología en la obra de Fray Luis de Granada* (1946). F. A. FARINA, *Doctrina de la oración del Beato Orozco* (1927). P. I. MONASTERIO, *Místicos agustinos españoles*, 2 vols. (2.ª ed., 1929). L. MARTIN, *Las Moradas de Santa Teresa y el misticismo literario* (1946). Fray SABINO DE JESUS, *Santa Teresa de Avila a través de la crítica literaria* (1949). Fray NAZARIO DE SANTA TERESA, *La música callada. Teología del estilo* (1953). A. CASTRO, *Teresa la Santa. Gracián y los separatismos, con otros ensayos* (1971). E. OROZCO, *Expresión, comunicación y estilo en la obra de Santa Teresa* (1987). P. CRISOGONO DE JESUS SACRAMENTADO, *San Juan de la Cruz. Su obra científica y su obra literaria* (1929). P. SABINO DE JESUS, *San Juan de la Cruz y la crítica literaria* (1942). D. ALONSO, *La poesía de San Juan de la Cruz* (1942). J. A. DE SOBRINO, *La soledad mística y existencialista de San Juan de la Cruz* (1952). E. OROZCO, *Poesía y mística. Introducción a la lírica de San Juan de la Cruz* (1959). JORGE GUILLEN, "San Juan de la Cruz o lo inefable místico", en *Lenguaje y poesía* (1962).

143

39. MITOS

Los relatos y leyendas que se refieren a dioses, semidioses, titanes, héroes o mortales fabulosos de la Grecia clásica, frecuentemente en su versión romana, han sido recogidos en su tradición literaria en España, sobre todo durante el Siglo de Oro. Los elementos míticos son, en ocasiones, alterados por la sensibilidad de los nuevos escritores y receptores, alejados ya de la cosmovisión de la Antigüedad; por ello no es raro, incluso, la versión divina de figuras consideradas paganas, pero que conservaban el atractivo del misterio. El tratamiento que en el siglo XX se da a los personajes míticos es, generalmente, desmitificador.

Para facilitar la consulta se ha agrupado la bibliografía en torno a los diferentes personajes míticos.

Júpiter es la más importante de las divinidades latinas, dios del cielo y de la luz, identificado con el Zeus griego. Ganimides es el más bello de los mortales, raptado por Zeus, que le hace copero del Olimpo.
DIEGO JIMENEZ DE ENCISO, Júpiter vengado, o Fábula de Criselio y Cleón (1632), comedia. JUAN DE ARGUIJO, Júpiter a Ganímedes (1605), soneto.

Apolo, hijo de Zeus y de Leto es, después de su padre, el más importante de los dioses griegos; considerado dios del sol, de la poesía y de la música, es el ideal de la belleza masculina. Climene es una de las ninfas Oceánides. Según Ovidio se unió a Helio –el Sol–, de cuya unión nació Faetone y las Heliades.

PEDRO CALDERON DE LA BARCA, *Apolo y Climene* (segunda mitad del siglo XVII), comedia.

Dafne, ninfa hija del río Ladón y de la Tierra. Apolo trató de seducirla y huyó transformándose en laurel. GARCILASO DE LA VEGA, *A Dafne ya los brazos le crecía*, soneto XIII (escrito 1526-36, publicado 1543). JUAN DE ARGUIJO, *Apolo a Dafne*, soneto (1605). JUAN DE TASSIS, conde de Villamediana, *Fábula de Faetón, Apolo y Dafne* (1611-15). FRANCISCO DE QUEVEDO, *Fábula de Dafne y Apolo* (1605), *A Apolo persiguiendo a Dafne*, *A Dafne, huyendo de Apolo*, sonetos desmitificadores de la presencia amorosa. LOPE DE VEGA, *El amor enamorado*, comedia (póstuma, 1635).

Acteón, hijo de Aristeo y Autónoe, nieto de Apolo. Aprendió el arte de la caza junto al centauro Quirón, pero fue transformado en ciervo por *Diana*, la *Artemis* griega, hija de Zeus y de Leto, y despedazado por sus propios perros, ya que involuntariamente la vio desnuda.
ANTONIO MIRA DE AMESCUA, *Fábula de Acteón y Diana*, poema en cincuenta y ocho octavas reales (principio siglo XVII). JOSE ANTONIO PORCEL Y SALABLANCA, *Acteón y Diana*, fábula burlesca (siglo XVIII).

Venus, diosa romana, la *Afrodita* griega, diosa de la belleza y del amor, se enamoró de *Adonis*, hijo de Mirra y del rey de Asiria, Tías, de belleza excepcional, y tuvo que disputárselo a Persefone. *Hipómenes* –Melanion–, hijo del arcadio Anfidamente, enamorado de Atlanta, recurre a la ayuda de Afrodita para conseguir su amor.
DIEGO HURTADO DE MENDOZA, *Fábula de Adonis, Hipómenes y Atlanta*, poema en octavas reales (1553). JUAN DE LA CUEVA, *Llanto de Venus a la muerte de Adonis* (publ. 1582). JUAN DE TASSIS, *Fábula de Venus y Adonis* (1611-1615). PEDRO SOTO DE ROJAS, *Adonis*

145

(1652), poema inserto en *Paraíso cerrado a muchos y jardines abiertos para pocos*. ALONSO CASTILLO SOLORZANO, "Fábula de Adonis", en *Donaires del Parnaso* (1624), romance burlesco. PEDRO CALDERON DE LA BARCA, *La púrpura de la rosa* (segunda mitad siglo XVII). LOPE DE VEGA, *Adonis y Venus*, tragedia (1621). TIRSO DE MOLINA, "Fábula de Mirra, Adonis y Venus", en *Deleitar aprovechando* (1685). JOSE ANTONIO PORCEL y SALABLANCA, *El Adonis*, cuatro églogas (siglo XVIII).

Alfeo, hijo de Océano y de Tetis, dios río; seduce a la ninfa *Aretusa*, con la que consigue unirse en Sicilia tras haberla seguido, fluyendo bajo el mar.
JOSE ANTONIO PORCEL y SALABLANCA, *Fábula de Alfeo y Aretusa*, burlesca (siglo XVIII).

Prometeo, hijo del Titán Japeo, creador de los hombres, les enseña a utilizar el fuego desafiando a Zeus, quien le encadena a una roca.
PEDRO CALDERON DE LA BARCA, *La estatua de Prometeo*, comedia (compuesta en 1669).

Febe, una de las Titánides, hija de Urano y Gea, la Resplandeciente.
JUAN DEL ENCINA, *Egloga de Cristino y Febea* (antes de 1497).

Aurora, identificación romana de la *Eos* griega. Es la personificación de la belleza de la luz. Fue condenada por Afrodita a estar eternamente enamorada.
LOPE DE VEGA, *La bella Aurora* (1635).

Hércules, versión latina del *Heracles* griego, el más célebre de sus héroes; alto y de fuerza sobrehumana. Hijo de Zeus y Alcmena, fue perseguido por la celosa esposa de Zeus, Hera, y tuvo que servir a Euristeo hasta que hubiese cumplido doce grandes trabajos.
ENRIQUE DE VILLENA, *Los trabajos de Hércules*, novela (1417).

146

Teseo, héroe nacional de Atenas, a la que liberó del pago impuesto por el rey Minos. Hijo de Egeo, rey de Atenas. *Ariadna,* hija de Minos, enamorada de él le entregó un ovillo de hilo que le permitiría salir del *Laberinto* una vez destruido el Minotauro.

LOPE DE VEGA, *El laberinto de Creta* (1621). TIRSO DE MOLINA, *El laberinto de Creta,* auto sacramental (hacia 1635). PEDRO CALDERON DE LA BARCA, *Los tres mayores* (1636).

Perseo, hijo de Dánae y de Zeus, salva a Andrómeda del monstruo y se casa con ella.

LOPE DE VEGA, *Fábula de Perseo,* comedia (1621).

Jasón, hijo de Esón y de Alcímeda. *Medea,* hija del rey de la Cólquide, Eetes, y de la Oceánida Idía. Medea ayudó a su amado Jasón a matar el dragón que custodiaba el *Vellocino.* Conseguido éste escaparon los amantes burlando con estratagemas y sortilegios los navíos que les perseguían.

LOPE DE VEGA, *El Vellocino de oro,* comedia (1623). FRANCISCO ROJAS ZORRILLA, *Los encantos de Medea,* tragedia (1644). PEDRO CALDERON DE LA BARCA, *Los tres mayores prodigios* (segunda mitad siglo XVII), *El divino Jasón,* auto (segunda mitad siglo XVII).

Orfeo, hijo de Apolo y Calíope, la más elevada en dignidad de las Musas. Orfeo es el gran cantor. Se casó con *Eurídice,* pero después de un corto tiempo de felicidad ésta fue mordida por una serpiente y murió. Orfeo, desconsolado, bajo al Hades, encantando con su lira a Caronte; Hades accedió a que se llevara a Eurídice con la condición de que Orfeo no se volviese a mirarla hasta que llegara al mundo terrenal.

IÑIGO LOPEZ DE MENDOZA, Marqués de Santillana, *El infierno de los enamorados* (Cod. más ant. 1444). JUAN DE ARGUIJO, *Orfeo,* soneto (1605). JUAN PEREZ DE MONTALBAN, *Orfeo en lengua castellana,* poema en

cuatro cantos atribuido a Lope de Vega (1624). JUAN
DE JAUREGUI, *Orfeo* (1624). LOPE DE VEGA, *El mari-
do más firme,* comedia (1630). PEDRO CALDERON DE
LA BARCA, *El divino Orfeo,* auto sacramental (1663).
ANTONIO SOLIS Y RIVADENEYRA, *Eurídice y Orfeo*
(1681).

Faetonte, hijo del dios Helio –el Sol– y de la oceánide *Climene.* Orgulloso de ser el hijo del dios del sol creyó que podría conducir el carro del sol por la ruta del
cielo, pero incapaz de controlar los caballos, Zeus tuvo
que matarle para evitar una catástrofe en la tierra.
FRANCISCO DE ALDANA, *La fábula de Faeonte* (póstuma 1591). PEDRO SOTO DE ROJAS, *Los rayos de Faetón,* poema en octavas (1639). PEDRO CALDERON DE
LA BARCA, *El hijo del sol, Faetón,* comedia continuación de *Apolo y Climene.*

Eco, ninfa de los montes, ofendió con su lengua par-
lanchina –eco en griego significa sonido–, a la diosa
Hera, que la castigó a repetir todo cuanto oía, sin poder hablar por sí misma. Se enamoró de *Narciso,* pero
éste se burló de ella y la ninfa acabó muriendo de
amor, quedando sólo su voz en la montaña. *Narciso*
atrajo el castigo divino, se enamoró de sí mismo al ver
su imagen reflejada en el agua; desesperado de no poder alcanzar el objeto de su amor, permaneció junto
al arroyo hasta consumirse.
GARCILASO DE LA VEGA, *Egloga 2.ª* (1526-36, publ.
1543). HERNANDO DE ACUÑA, *Fábula de Narciso,* poemas (1570-1580). JUAN DE ARGUIJO, *Narciso,* soneto
(1605). J. BERMUDEZ Y ALFARO, *El Narciso, flor tradu-
cida del Céfiro al Betis* (1618). LOPE DE VEGA, *El laurel
de Apolo,* poema en silvas (1630). J. TAMAYO Y SALA-
ZAR, *Fábula de Eco* (1631). PEDRO CALDERON DE LA
BARCA, *Eco y Narciso,* comedia (1661).

Psique, joven tan hermosa que todos los hombres se

enamoraban de ella. Venus, celosa de su belleza, envió a su hijo *Cupido* para que le arrojase una flecha de amor y se enamorase de un pordiosero, pero el mismo Cupido se enamoró de ella.

JUAN DE MAL LARA, *Hermosa Psiquis*, poema (mediados siglo XVI). JUAN DE ARGUIJO, *Psiquis a Cupido*, soneto (1605). JOSE DE VALDIVIESO, *Psiquis y Cupido*, auto (1622). PEDRO CALDERON DE LA BARCA, *Ni amor se libra de amo*, comedia (1640).

Píramo y Tisbe. Amantes protagonistas de una trágica historia de amor. Tisbe se suicida al saber que está embarazada, lo que, a su vez, motiva el suicidio de Píramo. Los dioses compadecidos transforman a Píramo en río y en afluente de aquél a Tisbe.

JORGE DE MONTEMAYOR, *Historia de los muy constantes e infelices amores de Píramo y Tisbe*, poema de más de mil doscientos versos (mediados siglo XVI). GREGORIO SILVESTRE, *La fábula de Píramo y Tisbe*, largo poema (1599). JUAN DE ARGUIJO, *Píramo*, soneto (1605). LUIS DE GONGORA, *Fábula de Píramo y Tisbe*, romance burlesco-culto de quinientos ocho versos (1618). MIGUEL BOTELLO, *La Fábula de Píramo y Tisbe* (1622). CRISTOBAL DE CASTILLEJO, *Historia de los dos leales amadores, Píramo y Tisbe* (primera mitad siglo XVI). PEDRO ROSETE NIÑO, *Píramo y Tisbe (Los dos amantes más finos)*, farsa (1652).

Acis, pastor siciliano, hijo del Dios latino Fauno. *Galatea*, hija de Nereo y de una ninfa marina. Representa la dulzura y la delicadeza en contraste con la fuerza y brutalidad de *Polifemo*. Enamorada de Acis, rechaza al cíclope Polifemo, y éste, celoso, sepulta a Acis bajo una roca. Galatea salva a Acis convirtiéndole en río.

GARCILASO DE LA VEGA, *Egloga 1.ª* (1526-36, publ. 1543). MIGUEL DE CERVANTES, *La Galatea*, novela pastoril o égloga, en seis libros (1585). LUIS CARRILLO Y SOTOMAYOR, *Fábula de Acis y Galatea* (póstuma 1611). LUIS DE GONGORA, *Fábula de Polifemo, Acis y Galatea*, poema de sesenta y tres octavas reales en quinientos cuatro endecasílabos (1613). JUAN PEREZ DE MONTALBAN, *Polifemo*, auto (hacia 1630).

Hero y Leandro. La fábula de los dos amantes, referida por Ovidio, cuenta cómo Leandro acude a ver a Hero en secreto, atravesando a nado el Helesponto. Una noche el vendaval apaga la llama que la muchacha encendía para guiar al amado, y Leandro perece en la tempestad. Hero, loca de dolor se precipita sobre el cadáver de su amante y ambos gozan de su amor en el Hades.

IÑIGO LOPEZ DE MENDOZA, *El infierno de los enamorados* (siglo XV). JUAN BOSCAN, *Historia de Hero y Leandro* (1543), largo poema en verso libre. Hay un gran número de composiciones poéticas en forma de Soneto y de Romance. Sonetos: GARCILASO DE LA VEGA, *Pasando el mar Leandro el animoso* (publ. 1543). GUTIERRE DE CETINA, *Leandro que d'amor en fuego ardía* y *Al tiempo que Leandro vio la estrella* (1580). JORGE DE MONTEMAYOR, *Leandro en amoroso fuego ardía* (mediados siglo XVI). HERNANDO DE ACUÑA, *De la alta torre al mar Hero mirava* (1570-1580). LOPE DE VEGA, *Por ver si queda en su furor deshecho* (hacia 1602). PEDRO SOTO DE ROJAS, *Leandro, el culto Galán vestido* y *Quiso amor navegar por el estrecho* (hacia 1650). FRANCISCO DE ALDANA, *Flota de cuantos rayos y centellas* (segunda mitad siglo XVI). LUIS DE GONGORA, *Fábula de Hero y Leandro*, parodia de la de Boscán (hacia 1600). Romances: LUIS DE GONGORA, *Arrojose el mancebito* (1589), *Aunque entiendo poco griego* (1610). GABRIEL BOCANGEL Y UNZUETA, *Fábula de Leandro y Hero* (1627). FRANCISCO TRILLO Y FIGUEROA, *Al mar se arroja Leandro* (1652). FRANCISCO DE QUEVEDO, *Hero y Leandro, El cielo estaba estrellado* (hacia 1610), *Hero y Leandro en paños menores* (hacia 1610).

Mitos en relación con la Guerra de Troya:

150

Ulises, nombre latino de Odiseo, rey de Itaca, hijo del Argonauta Laertes y casado con Penélope, hermana de Helena. Guerrero valiente, famoso por su astucia y sagacidad.

JUAN DE ARGUIJO, *Ulises,* soneto (1605). LUIS BELMONTE BERMUDEZ, *Los trabajos de Ulises,* comedia (primera mitad siglo XVII). PEDRO CALDERON DE LA BARCA, *Los encantos de la culpa,* auto sacramental (¿1635?).

Circe, la maga, hija de Helio y de la oceánide Perse, o según algunos de Hécate. Vivía en la isla de Eo. Podía transformar a los hombres en animales. Detuvo a Ulises en su vuelta a Itaca con sus encantos y convirtió en cerdos a sus compañeros.

LOPE DE VEGA, *Circe,* extenso poema (1624). PEDRO CALDERON DE LA BARCA, *El mayor encanto, Amor,* comedia (1649).

Ayax, hijo del Argonauta Telamón, hombre de gran fortaleza y corpulencia. *Aquiles,* hijo del Argonauta Peleo, murió a causa de una flecha que le arrojó al talón el arco de Paris. Ayax y Ulises se disputaban el honor de poseer la armadura de Aquiles; por votación, los griegos decidieron que le correspondía a Ulises. Ayax, desesperado, se suicidó.

HERNANDO DE ACUÑA, *Contienda de Ayax Telamonio y de Ulises sobre las armas de Aquiles,* poemas en verso suelto (segunda mitad siglo XVI). JUAN DE LA CUEVA, *Tragedia de Ayax Telamón,* romance (1588).

Agamenón, rey de Micenas, hermano de Menelao —el esposo de Helena—, casado con Clitemnestra —hermana de Helena—. Terminada la guerra, retorna a su patria y es asesinado por Clitemnestra y su amante Egisto. Su hijo Orestes, con la ayuda de su hermana Electra, le vengará matando a los amantes.

FERNAN PEREZ DE OLIVA, *La venganza de Agame-*

nón (1528). **NICASIO ALVAREZ DE CIENFUEGOS**, *Pítaco* (1799). **VICENTE GARCIA DE LA HUERTA**, *Agamenón vengado*, tragedia (1785-86).

Hécube, nombre latino de *Hécabe*, esposa principal de Príamo, rey de Troya. Madre de Casandra, Paris, Héctor, Poliodoro, entre otros, que perecen casi todos en vida suya.
FERNAN PEREZ DE OLIVA, *Hécuba triste* (hacia 1530).

Dido. Virgilio modifica en parte la leyenda de la migración fenicia al norte de Africa, y fundación de Cartago, centrándola en *Eneas*, fugitivo de Troya, y recogido amorosamente por la reina Dido, a la que después abandona.
IÑIGO LOPEZ DE MENDOZA, *El infierno de los enamorados* (cod. más ant. 1444). **JUAN DE ARGUIJO**, *Dido y Eneas*, soneto (1605). **GABRIEL LOBO LASSO DE LA VEGA**, *La honra de Dido restaurada*, tragedia (1559). **CRISTOBAL DE VIRUES**, *Elisa Dido*, tragedia (1609). **GUILLEN DE CASTRO**, *Amores de Dido y Eneas*, tragedia (¿1618?).

Visión desmitificadora en el siglo XX, en la novela y el teatro:
RAMON PEREZ DE AYALA, en la novela *Prometeo* (1916), hace una parodia del tema homérico. Un joven perfecto se casa con una joven, a su vez perfecta, para procrear un superhombre, pero el hijo resulta raquítico y enfermizo. *Narciso* (1927), la obra de teatro de **MAX AUB**, presenta una escenografía vanguardista del mito de Eco y Narciso, con unos personajes modernos. Narciso se destruye a sí mismo por amor de sí mismo. **ALVARO CUNQUEIRO** recurre al mito de Troya en dos novelas, *Las mocedades de Ulises* (1960), recrea el personaje de Ulises desde la fantasía y la poesía. *El hombre que se parecía a Orestes* (1969), el hijo Agamenón y

Clitemnestra desea olvidar la obligación impuesta por el mito, la de la venganza. ANTONIO BUERO VALLEJO, en la obra de teatro, *La tejedora de sueños* (1952), ofrece una desmitificación y una remitifación de la espera de la no enamorada Penélope y de la llegada de Ulises destruido por la guerra. JOSE RICARDO MORALES actualiza irónicamente el mito de Prometeo y Orfeo en *Hay una nube sobre el futuro* (1965) y *Orfeo o el desodorante* (1972), respectivamente. ANTONIO GALA, en *¿Por qué corres, Ulises?* (1975), utiliza la fábula de la larga ausencia como telón de fondo del drama del amor y el desamor. También GONZALO TORRENTE BALLESTER en *¡Oh, Penélope! (El retorno de Ulises)*, estrenada en 1987, hace una recreación irónica del mito de Penélope. FERNANDO SAVATER, en *Ultimo desembarco* (1987), da una versión teatral muy personal del mito de Ulises.

* * *

Sobre la Mitología en general se puede consultar: P. DE ESCOSURA, *Manual de Mitología* (1845). J. HUMBERT, *Mitología griega y romana* (1928). J. M.ª DE COSSIO, *Fábulas mitológicas de España* (1952). L. DIEZ DEL CORRAL, *La función del mito clásico en la literatura contemporánea* (1957). I. ASIMOV, *Las palabras y los mitos* (trad. 1961). J. ALSINA, *La mitología* (1962). M. C. PEÑUELAS, *Mito, literatura y realidad* (1965). L. CENCILLO, *Mito, semántica y realidad* (1970). M. C. PEÑUELAS, *Mito, literatura y realidad*, (1972). G. S. KIRK, *El mito. Su significado y funciones en las distintas culturas* (1973). E. MOLISTE, *Mitología* (1974). M. GONZALEZ HABA, *Mito y realidad* (1975). A. RUIZ DE ELVIRA, *Mitología clásica* (1975). J. A. ONIEVA, *Mitología* (1976). L. A. DE CUENCA, *Necesidad del mito* (1976). F. DIAZ-PLAJA, *Mitología para mayores* (1978). J. BERMEJO, *Introducción a la sociología del mito griego* (1979). C. GARCIA GUAL, *Mitos, viajes, héroes* (1981). Sobre determinados mitos, en particular: P. CABAÑAS, *El mito de Orfeo en la literatura es-*

pañola (1948). A. GALLEGO MORELL, *El mito de Faetón en la literatura española* (1961). F. MOYA DEL BAÑO, *El tema de Hero y Leandro en la literatura española* (1966). C. GARCIA GUAL, *Prometeo: mito y tragedia* (1979).

Pueden ser de utilidad los diccionarios siguientes: I. ERRANDONEA, *Diccionario del mundo clásico* (1954). J. A. PEREZ RIOJA, *Diccionario de Símbolos y Mitos* (1962). P. GRIMAL, *Diccionario de Mitología griega y romana* (1966). C. FALCON, E. FERNANDEZ-GALIANO y R. LOPEZ MELERO, *Diccionario de Mitología clásica,* 2 vols. (1980). A. BARTRA, *Diccionario de Mitología* (1982)

40. MUERTE

El hecho de la muerte, la realidad física y palpable, ine-
xorable, del morir, ha provocado en los hombres de todos
los tiempos un sentimiento de impotencia. El hombre me-
dieval, el del siglo XVII o del XX, tiene que enfrentarse ne-
cesariamente a la muerte, y su forma de hacerlo está ín-
timamente ligada al sentido de la vida y a su concepción
de la inmortalidad. La existencia terrenal como valle de
lágrimas lleva a considerar la muerte como el tránsito al
descanso y la paz anhelada; mientras que una apreciación
positiva de la vida juzga la muerte como el terrible destino
que arrebata lo más preciado. El consuelo que ofrece el
pensamiento cristiano sobre la vida después de la vida, la
gloria póstuma o el temor a la nada, a la desaparición to-
tal y definitiva, subyace en la expresión poética. Pero, sean
cual fueren las ideas que sustentan los autores, los senti-
mientos de angustia, soledad, miedo a lo desconocido, re-
beldía o aceptación, duda ante el destino después de la
muerte, deseo de supervivencia, laten en todos los poemas,
bien sea con ocasión de un canto fúnebre de circunstan-
cias por la muerte de un ser querido o, sencillamente, ex-
teriorización de los sentimientos del poeta que afronta su
propio fin. Raro es, por tanto, el poeta que en uno u otro
momento no ha abordado este tema. Innumerables son
las lamentaciones lastimeras de la Edad Media y constan-
tes en todas las épocas las elegías funerales. La selección
que sigue ha primado aquellos poemas que expresan vi-
vencias más personales.

JUAN RUIZ, Arcipreste de Hita, en *Libro de buen*
amor (1330, 1343), expresa rabia y temor a propósito

de la muerte de la Trotaconventos; la muerte destruye la belleza del cuerpo y la alegría del alma. En las *Danzas de la muerte* (fin siglo XIV, princ. siglo XV), el sentimiento que predomina es el de pavor; la muerte tiene personalidad propia y llama a los nacidos que no pueden escapar de ella, seal cual fuere su estado. FERRANT SANCHEZ CALAVERA, *En la muerte de Ruy Díaz de Mendoza* y en el *Decir de las vanidades del mundo* (1.ª mitad siglo XV), se queja de que la muerte iguale a todos, de que despoje al hombre indiscriminadamente, e invita a prepararse a morir, pues se nace a una vida nueva. El comendador JUAN ESCRIVA, en las *Canciones* (2.ª mitad siglo XV, en el *Cancionero General*, 1511), adopta un tono más personal y resignado, "ven muerte, tan escondida". JORGE MANRIQUE, en las *Coplas a la muerte de su padre* (2.ª mitad siglo XV), exhorta a considerar la brevedad de la vida; la muerte, nuevamente, iguala a todos, pero también es coronación de una vida de mérito, que proporciona fama en la tierra y gloria eterna. JUAN ALVAREZ GATO, en *Dize al rededor de una tumba* (fin siglo XV, en *Cancionero General*, 1511), también insiste en que "el morir será nascer para bevir". La muerte trunca la felicidad de los amantes en la *Egloga I* (póst. 1543), de GARCILASO DE LA VEGA; el poeta muestra su desconsuelo ante la obra destructora de la muerte, "todo agora ya se encierra para desventura mía, en la fría, desierta y dura tierra". SANTA TERESA en su deseo de ver a Dios, suplica en el *Cantar* "acaba ya de dejarme vida", *Que muero porque no muero* (1571). FERNANDO DE HERRERA, en las "Elegías", de *Algunas obras de Fernando de Herrera* (1582), maldice al hado y a las parcas que inexorablemente se llevan a los mortales. LOPE DE VEGA, en la "Canción a la muerte de Carlos Félix", publicada en *Rimas sacras* (1614), manifiesta su profunda tristeza por la temprana desaparición de su hijo (1612), pero resignadamente ofrenda a Dios "este de mis entrañas dulce fruto". En los *Sonetos* (1.ª mitad siglo XVII), de FRANCISCO DE QUEVEDO, la muerte acecha constantemente, "muerte viva es (...) nuestra vida"; la última hora se acerca "negra y fría", todo es recuerdo y aviso de la muerte, resuena "formidable y espantosa (...) dentro del corazón el postrer día". En *La Cuna y la Sepultura* (1634), escrita "Para el conocimiento propio y desengaño de las cosas ajenas", Quevedo, con un sentido estoico y a la vez providencialista, considera la muerte como plenitud, la perfección de la vida. Para NICASIO ALVAREZ CIENFUEGOS, en *A un amigo a la muerte de su hermano* y *La Escuela del Sepulcro* (1798; publ. póst. en *Poesías,* 1816), la muerte libera de los dolores y fatigas de la vida, pero "nunca jamás" se volverá a ver a aquellos que se amaba. JOSE CADALSO, en *Ocios de mi juventud* (1773), con motivo de la muerte de su amada M.ª Ignacia Ibáñez, no encuentra consuelo posible, "Mi Filis ha muerto, ¡Ay triste de mí!". MANUEL JOSE QUINTANA, "En la muerte de un amigo" (1798, publ. en *Poesías,* 1802), describe la muerte como "buitre voraz" que tiende sus "horrendas alas"; el poeta en tono retórico pide a la Parca que descargue sobre él la fatal guadaña para no tener que llorar a los amigos que morirán antes. De modo más abstracto, JUAN MELENDEZ VALDES, "En la muerte de Filis", en *Poesías* (póst. 1820), increpa a la "insaciable muerte", nada puede resistirse a su voracidad, "todo la muerte lo acabó". El "Canto a Teresa" (Canto II de *El diablo mundo,* 1838-1839), de JOSE DE ESPRONCEDA, es un canto de desahogo del corazón, como dice el propio autor; vierte la amargura y el pesar al recordar que la amada ya no está, que bajo "vil polvo tu beldad reposa"; sin embargo, la muerte ha proporcionado a ella descanso, "¡Feliz! la muerte te arrancó del suelo, y otra vez ángel te volviste al cielo", mientras que él tiene el corazón destrozado. VENTURA RUIZ AGUILERA, en *Elegías* (1862), llora la ausencia de su hija. Para GUSTAVO ADOLFO BECQUER, en las *Rimas* (1859-1868, publ. 1871), la muerte es com-

157

pañera de la vida, "despertar es morir". Pero, ¿dónde conduce la muerte? "–¡No sé...!–", es la respuesta angustiada del poeta, la muerte es el olvido, la tumba. *En las orillas del Sar* (1884), lamento dedicado a la muerte de su hijo, ROSALIA DE CASTRO plantea si merece la pena luchar contra la muerte "si hemos de caer vencidos", si morir es la única certeza del hombre, "todo lo demás mentira y humo"; la fe no puede disipar el desconsuelo de que "ha partido para nunca más tornar". Para MIGUEL DE UNAMUNO la muerte forma parte de la rueda de la vida, la pregunta definitiva del hombre-Unamuno es por el destino último del hombre, la búsqueda agónica de la inmortalidad, de la supervivencia, late en toda su obra poética; la sed de vida y la obsesión por la muerte forman parte de su ser y de su obra, desde *Poesías* (1907), *Rosario de sonetos líricos* (1911), *El Cristo de Velázquez* (1920), *Rimas de dentro* (1923), *Cancionero. Diario poético. 1928-1936* (publ. 1953), hasta el último soneto, escrito tres días antes de su muerte, sigue "escudriñando el implacable ceño –cielo desierto– del eterno Dueño», anhelando la respuesta. ANTONIO MACHADO en *Campos de Castilla* (1917) expresa la experiencia personal ante la muerte que le arrebata lo que más quería, muerte no por esperada menos angustiosa, "la muerte en mi casa entró", el poeta guarda un recuerdo melancólico de esa pérdida que se complace en evocar. Para JUAN RAMON JIMENEZ, en *Belleza* (1923), "morir es viajar, morir es trascender"; en *De ríos que se van* (1953) aparece la presencia transfiguradora de la muerte ante la amenaza de la muerte de Zenobia; en la *Tercera Antolojía poética* (1957), la muerte completa la vida, es la compañera de todos los días, y el poeta se pregunta "¿cómo muerte tenerte miedo?". JORGE GUILLEN, en *Cántico* (1928, 1950) y *Que van a dar en la mar* (1960), se somete obediente a la ley de la naturaleza: "se cumplió tu destino". FEDERICO GARCIA LORCA en *Llanto por Iganacio Sánchez Mejías* (1935) se resiste ante el hecho de la muerte, una muerte prevista, anunciada, que destruye al hombre, al amigo. MIGUEL HERNANDEZ, en la "Elegía" a la muerte de Ramón Sijé, de *El rayo que no cesa* (1936), se rebela contra una muerte que no puede vencer. Para VICENTE ALEXAINDRE, en *La destrucción o el amor* (1935) y *Nacimiento último* (1953), la muerte es el vacío, la ausencia de vida. En *El enterrado* de *Poemas varios* (1967), al poeta le angustia la incertidumbre sobre el más allá, y exclama, como ya lo había hecho Bécquer, "Yo no sé". En *Hijos de la ira* (1944), de DAMASO ALONSO, la muerte es la no existencia, la ausencia de vida ya presente, "me muero a cada instante". En *Subida al amor* (1945), CARLOS BOUSOÑO se consuela con la felicidad de que gozan los muertos. Para EMILIO PRADOS, en *Jardín cerrado* (1946), la muerte es una compañía constante, a la que se teme; en *Memoria de poesía*, de *Antología 1952-1953* (1954), le ruega, sin embargo, "condúceme a ti, muerte". JOSE LUIS HIDALGO, en *Los muertos* (póstuma e inacabada, 1947), exclama "no quiero morir nunca", pero en el proceso, no sólo poético, sino también personal, Hidalgo pregunta a Dios por ella, se identifica y acepta la muerte. Para BLAS DE OTERO, en *Angel fieramente humano* (1950), la muerte es como "un golpe frío de la mano de Dios"; la vida, en *Verso y prosa* (1974), es el "río del tiempo hacia la muerte". Para JOSE GARCIA NIETO, en *Tregua* (1951) y *Taller de arte menor y cincuenta sonetos* (1973), la muerte llega como el sueño, es el paso de Dios. ANGEL CRESPO en *Quedan señales* (1952) muestra lo que la muerte tiene de incomprensible; la destrucción del hombre, la ruptura definitiva deja al poeta inerme, "el ver a un hombre muerto deshace el corazón". Para JAIME FERRAN, en *Desde la otra orilla* (1953), "vivir es la costumbre de ir muriendo". La muerte para GERARDO DIEGO, en *Biografía incompleta* (1953), es un tránsito a una vida mejor. VICENTE GAOS pide a Dios en *Profecía del recuerdo* (1956), "que la vida nunca muera"; en *Concier-*

to en mí y en vosotros (1965) propone el olvido de la muerte, y cuando llegue, dice, "acógela conforme, tranquilo, abre la puerta". La muerte es para LUIS CERNUDA en *Con las horas contadas* (1958) como una pesadilla. En *El retorno*, de *Años decisivos* (1961), de JOSE AGUSTIN GOYTISOLO, el recuerdo ayuda a aceptar la muerte. JAIME GIL DE BIEDMA manifiesta en *Las personas del verbo* (1975), la soledad existencial del hombre, que no es sino la muerte. En *Memorial de la noche, 1957-1975* (1976) y *Primer y último oficio* (1979), CARLOS SAHAGUN ofrece su pensamiento elegíaco. Y, JUSTO JORGE PADRON, en *Otesnita* (1979), busca refugio contra la muerte.

* * *

Los siguientes estudios sobre este tema pueden orientar al lector: J. FERRATER MORA, *El sentido de la muerte* (1947). F. DIAZ PLAJA, *La muerte en la poesía española* (1952). J. AYUSO RIVERA, *El concepto de la muerte en la poesía romántica española* (1958). E. CAMA-CHO GUIZADO, *Elegía funeral en la poesía española* (1967). M. DEL RIO, *La muerte como amada* (1971).

Ver **Tiempo.**

41. MUJER

La presencia femenina en la literatura es constante, como en el caso del hombre; abordar un repertorio bibliográfico supondría reiterar todas las obras citadas y por citar en otros temas; pero también aquí se pueden indicar algunas obras que ponen de relieve características típicas y tópicas de la mujer, que van de la defensa en Triunfo de las donas *(siglo XV), de Juan Rodríguez del Padrón (o de la Cámara), a la reprobación en el* Corbacho *(1438), de Alfonso Martínez de Toledo, arcipreste de Talavera. De la idealización, "ella era hermosa, hermosa y pálida como una estatua de alabastro (...) y en el cerco de sus pestañas rubias brillaban sus pupilas como dos esmeraldas sujetas en una joya de oro",* Los ojos verdes *(1861), de Gustavo Adolfo Bécquer, al menosprecio, "Gracias, Dios mío, por haberme revelado a tiempo que soy tonta", exclama Gloria en la novela del mismo nombre (1878), de Benito Pérez Galdós. En los últimos años de este siglo ha surgido una amplia producción de narrativa a cargo de escritoras, en la que se percibe el proceso de concienciación, la búsqueda de identidad y la autoafirmación de la mujer. Tampoco es posible citarlas a todas, pues su nómina es muy extensa, pero se podrá acceder a su obra a través de las antologías y estudios que se reseñan más adelante.*

Los personajes femeninos aparecen pintados, entre otros, con los siguientes caracteres: la mujer pedante, Nise, y la corta de alcances, Finea, *La dama boba* (1613); la que desprecia a los hombres y acaba cayendo presa de amor, Laura, princesa de Bohemia, *La vengadora de las mujeres* (1621); la mujer frívola y sensual, *La Doro-*

tea (1632), de LOPE DE VEGA. La dama encumbrada y condescendiente, la Duquesa, *El Quijote* (II p., 1615), de MIGUEL DE CERVANTES. La mujer que se disfraza de hombre en la intriga amorosa, doña Juana, *Don Gil de las calzas verdes* (1615); doña Violante, *La villana de Vallecas* (h. 1620); doña Jerónima, *El amor médico* (1635), de TIRSO DE MOLINA. La mujer voluptuosa pero avisada, *Novelas ejemplares y amorosas (honesto y entretenido sarao,* 1635; 2.ª parte del *Sarao y entretenimientos honestos,* 1647), de MARIA DE ZAYAS. La mujer que doblega a los hombres pero acaba víctima de ellos, *Raquel* (1772), de VICENTE GARCIA DE LA HUERTA. La mujer cándida, inocente y resignada, *Clemencia* (1852), de CECILIA BOHL DE FABER, FERNAN CABALLERO. La mujer inestable y caprichosa, María, *La ajorca de oro* (1861) y Beatriz, *El monte de las ánimas* (1861); la seductora que provoca la destrucción del hombre, la ondina, la estela, *Los ojos verdes* (1861) *El rayo de luna* (1862), y *El Cristo de la Calavera* (1862); la mujer seducida y abandonada, *La promesa* (1863); *Leyendas* (publ. 1871), de GUSTAVO ADOLFO BECQUER. La mujer desdichada, fiel a sí misma, *Ruinas* (1866), de ROSALIA DE CASTRO. La mujer que aspira a encumbrarse socialmente, *Gloria* (1878) e Isidora Rufete, *La desheredada* (1881), de BENITO PEREZ GALDOS. La mujer sometida a la brutalidad del marido, Nucha, *Los Pazos de Ulloa* (1880) y Lucía, *Viaje de novios* (1881); la viuda devota hechizada por un joven, Francisca de Asís de Andrade, *Insolación* (1889); la mujer abnegada hasta lo sublime, Carmen, *La prueba* (1890). La mujer inconformista que exige el derecho de la mujer al estudio y al trabajo y reclama la igualdad de los sexos, *Doña Milagros* (1894) y *Memorias de un solterón* (1896); la mujer independiente y culta, Minnia y Clara Ayamonte, *La Quimera* (1905), de EMILIA PARDO BAZAN. La mujer que intenta emanciparse, Julia, *La pródiga* (1882), de PEDRO ANTONIO DE ALARCON. La mujer insatisfecha, Ana Ozores, *La Regenta*

(1884), de LEOPOLDO ALAS, *CLARIN*. La mujer de clase media, consagrada a su marido, Aurelia, *La espuma* (1891); la mujer abnegada, hacendosa, con un mínimo horizonte cultural, *Maximina* (1899); la mujer campesina, sometida a una vida dura, pero conforme con ella, *La aldea perdida* (1909), de ARMANDO PALACIO VALDES. La mujer frívola de alta sociedad, Currita Albornoz, *Pequeñeces* (1891), del P. LUIS COLOMA. La mujer fatal, también de alta sociedad, doña Sol, *Sangre y arena* (1908), de VICENTE BLASCO IBAÑEZ. La mujer sujeta a una vida conyugal insoportable, Ramona, *La esfinge maragata* (1914), de CONCHA ESPINA. La mujer valiente que arrostra la muerte por una causa, *Mariana Pineda* (1927), de FEDERICO GARCIA LORCA, y *Las arrecogías en el beaterio de Santa María Egipciaca* (1971), de JOSE MARTIN RECUERDA. La mujer de la vida, *Lola, espejo oscuro* (1948), de DARIO FERNANDEZ FLOREZ; *Las viejas voces* (1955), de LUIS ROMERO; *Las mil noches de Hortensia Romero* (1979), de FERNANDO QUIÑONES; *Petra regalada* (1980), de ANTONIO GALA. La mujer que toma conciencia de sí misma, trilogía *Mujer y hombre* (1955-1984), de ELENA SORIANO. La mujer frustrada en su matrimonio y en la vida social, Carmenchu, *Cinco horas con Mario* (1966), de MIGUEL DELIBES. La mujer atormentada por la soledad, Isa, *La trampa*, (1969), de ANA MARIA MATUTE. La mujer que busca el amor más allá de las imposiciones sociales, Jimena, *Anillos para una dama* (1973), de Antonio Gala. La mujer capaz de todo con tal de no perder el amor, *Extramuros* (1979), de JESUS FERNANDEZ SANTOS. La novela femenina de los años setenta-ochenta, como se ha dicho antes, toma conciencia de la personalidad de la mujer, denuncia la condición a la que ha estado sometida, busca liberarse, comunicarse, salir de la soledad y comprenderse a sí misma, se descubre como ente social, estas novelas, como dice ROSA MONTERO en *Crónica del desamor* (1979), "Sería el libro de todas las Anas, de todas y ella misma, tan dis-

163

tinta y tan una", poco importa que sus protagonistas sean Elia, Elena, Aurelia, Elsa o Urraca, todas ellas tienen el mismo denominador común, la afirmación de la mujer como ser independiente: *Retahílas* (1974) y *El cuarto de atrás* (1978), de CARMEN MARTIN GAITE; *La maraña de los cien hilos* (1976), de ROSA ROMA; *El mismo mar de todos los veranos* (1978), *Varada tras el último naufragio* (1980) y *Para no volver* (1985), de ESTHER TUSQUETS; *Las cárceles de Soledad Real* (1982), de CONSUELO GARCIA; *Urraca* (1982), de LOURDES ORTIZ; *El silencio de las sirenas* (1985), de ADELAIDA GARCIA MORALES; *Carurú y yerbabuena* (1987), de M.ª VICTORIA CANSINOS; *Queda la noche* (1989), de SOLEDAD PUERTOLAS.

* * *

Antologías que recogen obras escritas por mujeres: *Las primeras poetisas en lengua castellana*, de C. JANES. *Novelistas españoles de la posguerra española* (1973), ed. de J. W. PEREZ. *Antología del feminismo* (1975), a.c. de A. MARTIN GAMERO. *Doce relatos de mujeres* (1982), comp. de Y. NAVAJO. *Las diosas blancas* (1985), ant. de poesía femenina actual, de R. BUENAVENTURA. Estudios en torno a la mujer: E. PARDO BAZAN, *La mujer española* (finales s. XIX). C. ARENAL, *La condición de la mujer en España* (1892) y *La mujer de su casa* (1895). M. NELKEN, *Las escritoras españolas* (1930). P. OÑATE, *El feminismo en la literatura española* (1938). C. BRAVO VILLASANTE, *La mujer vestida de hombre en el teatro español (siglos XVI Y XVII)* (1955). C. MARTIN GAITE, *Usos amorosos del dieciocho en España* (1972). M. ROIG, *·Tiempo de mujer.* (1980) y *Mujeres en busca de un nuevo humanismo* (1981). P. FERNANDEZ-QUINTANILLA, *La mujer ilustrada en la España del siglo XVIII* (1981). AA.VV., *Mujer y sociedad en España, 1700-1973* (1982). LOPEZ BELTRAN y otros, *Realidad histórica e invención literaria en torno a la mujer* (1987). B. CIPLIJAUSKAITE, *La novela femenina contemporánea (1970-1985)* (1988).

Ver **Adulterio, criados, joven, loco, madre, soltera.**

164

42. NIÑO

El niño como protagonista, o al menos con una presencia significativa, desaparece en la narrativa desde la novela picaresca hasta finales del siglo XIX en que vuelve a ser retomado, para florecer, por los motivos que se verán más adelante, en la posguerra. Por tanto, la infancia en la literatura es un fenómeno contemporáneo, si hacemos la excepción de los primeros años del niño-pícaro.

Los recuerdos de Gabriel Aracil, narrador de la primera parte de los *Episodios nacionales*, de BENITO PEREZ GALDOS, dan a conocer la infancia, que recuerda mucho a la del pícaro, de Gabrielillo, en *Trafalgar* (1873). En *Miau* (1888), Galdós presenta a Luisito, nieto del infeliz protagonista don Ramón de Villaamil. Es el contrapunto de inocencia en una sociedad que a duras penas sobrevive. LEOPOLDO ALAS, *CLARIN*, centra la narración de *¡Adiós, "Cordera"!* (1891) en dos huérfanos, Rosa y Pinín, y la vaca Cordera, compañera de los niños. El mundo de los niños queda destrozado por la venta de la vaca y, posteriormente, por la guerra. La violencia y el odio de los adultos alcanza también a los niños en *La barraca* (1898), de VICENTE BLASCO IBAÑEZ; los hijos de Bautista Burrull son objeto de las burlas de la chiquillería, y el menor, Pasqualet, es lanzado al canal por sus pequeños enemigos. Martín Zalacaín, en *Zalacaín el aventurero* (1909) de PIO BAROJA, es un niño grande que vive en el País Vasco durante las Guerras Carlistas, luchando contra la adversidad y el destino. En *Platero y yo* (1914), de JUAN RAMON JIMENEZ, el niño tonto, Antoñilla, la niña chica,

Pinito, Alfredito Ramos, son el recuerdo nostálgico de la "isla de gracia, de frescura y de dicha, edad de oro de los niños". A partir de la segunda mitad del siglo XX se recurre una y otra vez a la infancia, a la experiencia infantil ya lejana, para describir un mundo perdido, un universo de inocencia que truncó la contienda civil y que la nostalgia idealiza. La *Crónica del alba* (1942) de RAMON J. SENDER, permite conocer desde el recuerdo la infancia de Pepe Garcés, su pueblo, su familia, las travesuras, el colegio y, sobre todo, a Valentina, el gran amor de Pepe. MIGUEL DELIBES presenta la propia visión del niño. En *El camino* (1950), Daniel el Mochuelo, de once años, en su última noche en el pueblo recuerda los cortos años de su vida, sus padres, la gente del pueblo, sus amigos y la Mica, la niña más querida. Veinte años más tarde, en *El príncipe destronado* (1973), Quico, de cuatro años, captará desde su pequeña estatura el mundo de los adultos. ARTURO BAREA en *La forja* (1951), primera parte de la trilogía *La forja de un rebelde* (escrita entre 1939-1941), narra la niñez del protagonista, que en forma autobiográfica evoca las penalidades, el trabajo, el colegio en Madrid y la presencia protectora de la madre. *La Colmena* (1951), de CAMILO JOSE CELA, introduce en varias ocasiones a un gitanillo de seis años, que se gana la vida en el Madrid de la posguerra. Las *Industrias y andanzas de Alfanhuí* (1951) de RAFAEL SANCHEZ FERLOSIO es un contrapunto de fantasía en las narraciones realistas. "Una historia llena de mentiras verdaderas". Alfanhuí es un niño que vive en un mundo en que todo es posible, en el que todas las aventuras tienen el color del verano. En 1952, RAFAEL MONTESINOS escribe *Los años irreparables. Prosas en memoria de la niñez*. EDUARDO BLANCO AMOR muestra el descubrimiento del mundo por los niños en *La catedral y el niño* (1956) y *Los miedos* (1963). ANA MARIA MATUTE ofrece una serie de cuentos sobre la infancia en *Los niños tontos* (1956). Los niños de los suburbios son los protagonistas de *Cabeza rapada* (1958), de JESUS FERNANDEZ SANTOS. La infancia y la adolescencia están presentes en *Tristura* (1960) y *Escribo tu nombre* (1965) de ELENA QUIROGA. MERCEDES BALLESTEROS refleja la infancia burguesa en *Mi hermano y yo por esos mundos* (1962) y la humilde en *El chico* y *Eclipse de Tierra*. JUAN GOYTISOLO, en *Duelo en el paraíso* (1955), refleja el comportamiento cruel de un grupo de niños, durante el final de la guerra civil; en *Fiestas* (1958), cuenta también la experiencia de dos niños huérfanos y desvalidos, Pira y Pipo, en la posguerra, víctimas de la guerra de los adultos, "la maldita guerra...". También Luisito, en *Los inocentes* (1959), de MANUEL LAMANA, abandona prematuramente la niñez a causa de la guerra. La vida del niño transcurrirá entre la muerte y la desolación de la lucha. De igual temática es *El niño asombrado* (1965), de ANTONIO RABINAD; *La navaja* (1965) de HECTOR VAZQUEZ AZPIRI, y *La brújula loca*, de TORCUATO LUCA DE TENA. FRANCISCO UMBRAL, en *Balada de gamberros* (1965) y *Los males sagrados* (1976), recupera irónicamente los años de la niñez. Santi, el protagonista de *El otro árbol de Guernica* (1967), de LUIS CASTRESANA, relata el exilio infantil de un grupo de niños vizcaínos durante la guerra. El recuerdo y la añoranza preside la vida de los niños en Bruselas. VICENTE SOTO, en *La zancada* (1967), refiere la experiencia de Gabrielito, que pasa a la adolescencia en un ambiente familiar acomodado. En *Bernard, uno que volaba* (1971), el niño desea permanecer en la acogedora infancia. En 1986 publicó *Una canción para un loco*, la extraña historia de Paquito, el niño de seis años que se tragó una peseta. En *Antigua Patria* (1968), de MARIA BENEYTO, la niña se refugia en el mundo de los sueños para huir de una existencia miserable. En *Los días de Lina* (1971), de CONCHA CASTROVIEJO, la niña descubre la naturaleza con extraordinaria sensibilidad. El abandono de los mayores y las difíciles relaciones de los niños con ellos son el tema de cuatro de los relatos de *Paraíso encerrado* (1973) de Jesús Fernández Santos. En *Si te dicen que caí* (1973, ed. corregida 1989) de JUAN MARSE, se presenta, paralelamente al mundo de los adultos, el mundo infantil, deformado por la obsesión sexual, en la posguerra. *Barrio de Maravillas* (1976), de ROSA CHACEL, evoca el crecimiento y toma de conciencia de dos niñas, sus juegos infantiles y el descubrimiento de los adultos. La guerra civil como fondo es el ambiente de la novela de JOSE FERNANDEZ CORMEZANA, *Dame el fusil, pequeño* (1977). JOSE ASENJO SEDANO, en *Conversación sobre la guerra* (1978), vuelve una vez más a los tres años de la guerra civil, reconstruidos desde la perspectiva –recuerdos– de un niño. En *El esperado* (1984), de JOSE M.ª GUELBENZU, el niño, León, al llegar a la adolescencia entra en un mundo en el que se siente extranjero, el de los adultos. *La sonrisa etrusca* (1985), de JOSE LUIS SAMPEDRO, refiere la vida de un anciano para quien la ilusión de vivir, la posibilidad de ternura, es el nieto.

* * *

Puede completarse la información sobre el tema con la obra de EDUARDO GODOY GALLARDO, *La infancia en la narrativa española de posguerra* (1979).

Ver **Hijos, pícaro.**

43. NOCHE

La noche se hace presente en la poesía española de dos formas: la primera se refiere al ciclo solar, la que se percibe con los sentidos al final del día, con la caída de la tarde, momento de paz y silencio. "La noche ha tendido su velo de sombra" o "en la noche te envuelven las alas de tul del sueño", dice Gustavo Adolfo Bécquer. "Noche callada y sombría", "tibias noches", la llama Rosalía de Castro. Antonio Machado afirma "En la noche la paz de la luna alumbra". Federico García Lorca la canta, "noche que noche nochera". Juan Ramón Jiménez la describe como "hermosa noche de verano". León Felipe concluye su contemplación "y vino la noche callando". Gabriel Celaya comenta sencillamente "ya es de noche". Pero más frecuentemente la noche aparece como símbolo de la interioridad del hombre. La noche propicia el encuentro consigo mismo en el silencio y la soledad. También expresa el misterio, el miedo, el pecado, el horror y la muerte; a través de ella el poeta vierte los sentimientos de tristeza, angustia, incomprensión, desasosiego. Puede ser fuente de encuentro, acoger el amor, y también destruirlo.

Para GARCILASO DE LA VEGA augura, en la *Egloga I* (póst., 1543) y en los *Sonetos* (póst., 1543), la huída de la amada, "tenebrosa noche de tu partida", "eterna noche escura". La *Noche serena* (1572-76, publ. 1631) de Fray LUIS DE LEON, es el símbolo del olvido en que está injustamente sepultado. En *Noche oscura del alma* (1578-84, publ. 1627) de San JUAN DE LA CRUZ, la "noche oscura" se convierte en "noche dichosa", "amable más que la alborada", porque permite la unión del

169

amado con la amada. Para FRANCISCO DE QUEVE-
DO, en *Sonetos* (1.ª mitad siglo XVII), las sombras noc-
turnas son recuerdo de la muerte. JOSE CADALSO, en
Noches lúgubres (h. 1775, publ. póst. 1790) la acusa de
ser la representante del mal y la muerte, "madre de
los delitos". JUAN MELENDEZ VALDES en *Poesías*
(post. 1820) la siente teñida de su propia tristeza y melancolía. Para GUSTAVO ADOLFO BECQUER, en las
Rimas (1859-68, publ. póst. 1870) y *Leyendas* (1861-64,
publ. póst. 1871), puede propiciar el amor, la búsqueda de la amada, pero ser también el espejo de su desilusión, "oscura noche de mi alma". *En las orillas del
Sar* (1884) de ROSALIA DE CASTRO, la noche aparece
como expresión de la tristeza y el dolor, símbolo de
que la luz de la vida se ha extinguido. Para MANUEL
MACHADO presagia en *Alma* (1902) la muerte. ANTO-
NIO MACHADO, en *Soledades* (1903), la considera con-
fidente y amiga, pero en *Campos de Castilla* (1912) aparece negra y triste, por ella entra la muerte. La duda
que angustia a MIGUEL DE UNAMUNO, en *Cancionero. Diario poético (1928-36)* (publ. póst. 1953), encuentra en la noche su más fiel reflejo, "velo de cerrada noche", "madre oscura del alma". En *Soledades juntas*
(1931), de MANUEL ALTOLAGUIRRE, el amante desea
ser la noche de la amada. Para PEDRO SALINAS en
La voz a ti debida (1933), la noche no es acogedora, sino
negadora. Para GABRIEL CELAYA, en *Marea de silencio* (1935), tiene vida propia. En *Hijo de la luz y de las
sombras* (1942), de MIGUEL HERNANDEZ, la esposa
es la noche, la culminación del amor y la fecundidad.
Cántico (1918, 1950), de JORGE GUILLEN, inicia cada
uno de los cinco libros con un poema relativo al amanecer y se cierra con uno dedicado al sueño y la noche, la noche es la paz y el amor. Para JUAN RAMON
JIMENEZ en *Tercera antolojía poética* (1957), es el símbolo más expresivo de la noche eterna. Según CAR-
LOS BOUSOÑO, en *Invasión de la realidad* (1962), la noche está siempre presente, como el dolor, el poeta

toma conciencia de sí "en la noche callada"; en *Las monedas contra la losa* (1973), es aniquilación, querría abrir "un boquete en la noche" para ver la luz. ANTONIO COLINAS en *Sepulcro de Tarquinia* (1975) enmarca en la noche, una noche reiterada, la desesperanza. En *Poesía con nombres* (1977), de BLAS OTERO, el horror, la muerte, está en la noche, "larga, amarga...". La reseña de obras poéticas se cierra con una obra narrativa, *El esperado* (1984), de JOSE M.ª GUELBENZU, en la que la noche aparece como símbolo constante, "pozo y soledad ante un espacio", en la que el hombre, en este caso un adolescente, tiene que enfrentarse al destino.

171

44. OJOS

El recurso al rasgo físico de los ojos es continuo en la literatura, con preferencia a otras partes del cuerpo. Los ojos para el poeta tienen capacidad de hablar, de expresar sentimientos y estados de ánimo, alegría, tristeza, ansiedad, dolor, desesperación. Desvelan sensaciones internas de forma silenciosa, callada. Son ojos serenos, enojados, divinos, melancólicos, dichosos; y de todos los colores, azules, verdes, negros. Llegan a personificar y ser reflejo de la persona toda. La mirada es la forma de entablar relación inmediata.

En *Razón de amor* (princ. siglo XIII), la doncella tiene ojos negros y ridientes. PEDRO MANUEL XIMENEZ DE URREA pregunta a los ojos por qué quieren ver, si el "mirar se paga con llorar" en *Canciones* (princ. siglo XVI). El *Madrigal* (1.ª mitad siglo XVI) de GUTIERRE DE CETINA, "Ojos claros y serenos / si de un dulce mirar sois alabados", inicia con una belleza indiscutible el ruego a unos ojos que personifican a la amada, y que cuanto más piadosos, son más bellos. GARCILASO DE LA VEGA también habla de "ojos claros", pero de "mirar ardiente", en la *Egloga I* y en el *Soneto* "En tanto que de rosa y azucena" (póst., 1543). En el *Cántico espiritual* (1578-84, publ. 1627), de San JUAN DE LA CRUZ, la esposa considera los ojos, la mirada divina, el medio de comunicación, "cuando tú me mirabas, tu gracia en mí tus ojos imprimían". Los ojos, para JOAQUIN ROMERO DE CEPEDA, en *Obras* (1582), hablan con sólo mirar. La presencia de la amada da luz a los "tenebrosos ojos" del poeta, según FRANCISCO

172

DE FIGUEROA en *Sonetos* (post. 1625). LUPERCIO LEONARDO DE ARGENSOLA se rinde al yugo amoroso de "tus divinos ojos", en las *Rimas* (fin siglo XVI, princ. siglo XVII). LUIS DE GONGORA, en las *Letrillas* (1581-1625), personifica en los ojos al amado, "sus ojos a la guerra van", o dice de la niña que posee "dulces bellos ojos". LOPE DE VEGA, en las *Poesías líricas* (h. 1630), ve el sol en los ojos de la amada, estrellas en sus "bellas niñas". BERNARDO DE BALBUENA exclama en los sonetos de *Siglo de Oro en las selvas de Erífile* (princ. siglo XVII, publ. 1821), "¡oh bellos ojos, luz preciosa y alma¡". Fray HORTENSIO FELIX PARAVICINO, en *Obras póstumas, divinas y humanas* (1650), se dirige a unos "hermosos ojos negros". "Ojos celestiales" son, para LUIS ULLOA Y PEREYRA, en los sonetos de *Obras* (1674). JUAN MELENDEZ VALDES, en las *Poesías* (póst., 1820), dedica una letrilla "A unos lindos ojos"; los lindos ojuelos le matan de amor porque la amante coquetea con ellos, alienta, languidece, los abre, los cierra, los torna. Los ojos de *A una bella* (princ. siglo XIX), de JUAN AROLAS, son azules. GUSTAVO ADOLFO BECQUER en las *Rimas*, (1859, publ. póst. 1871), se siente arrastrado por los ojos, azules, verdes o negros, con pupilas de fuego. Para ROSALIA DE CASTRO, *En las orillas del Sar* (1884), la luz y el brillo de los ojos se disipa, la dicha del amor se convierte en espejismo traidor, el dolor los ciega. La niña que habla con el Cid en "Castilla", de *Alma* (1902), de MANUEL MACHADO, es "toda ojos azules". Sin embargo, en otro poema, "Felipe IV", el color de los ojos transparenta la debilidad del monarca, "de sus ojos, el azul, cobarde". MIGUEL DE UNAMUNO, en *Rosario de sonetos líricos* (1911), habla de ojos "claros" como símbolo de pureza e inocencia original. JUAN RAMON JIMENEZ, en *Sonetos espirituales* (1913), describe los ojos celestes como si bajara el cielo. ANTONIO MACHADO, en *Nuevas canciones* (1924), plantea la realidad de la visión, "es ojo porque te ve", y la angustia de no recordar los ojos de la amada, ¿pardos, negros, glaucos, grises? MANUEL ALTOLAGUIRRE compara en *Soledades juntas* (1931) los ojos, con los de los puentes, por los que pasa el agua, la vida "que van a dar al olvido". Para PEDRO SALINAS, en *Razón de amor* (1936), los ojos de la amada son siempre distintos, únicos, "ojos azules, nunca igual a ojos azules". VICENTE ALEIXANDRE llama, en *Sombra del paraíso* (1944), "ojo dulce" a la mirada inocente de las "criaturas en la aurora". CARLOS BOUSOÑO, en *Las monedas contra la losa* (1973), ansía rehacer la vida toda para que los ojos puedan ver, siquiera por un instante.

45. PAREJA

El amor es una fuerza transformadora que expande y dilata la individualidad de los amantes. A la literatura le interesan las emociones y experiencias y, fundamentalmente, el hecho de enamorarse, el inicio de la pasión, cuando aún no existe la seguridad de la consumación, cuando todavía no ha cristalizado ni se ha institucionalizado. La correspondencia amorosa será lo que caracterice a la pareja; el encuentro y la presencia colma de felicidad, y la ausencia provoca desesperación. Los autores enfatizan las dificultades de los amantes, las amenazas que les acechan, los peligros que corren para gozar de su amor; son siempre, por tanto, idilios apasionados. El amor nunca es tan hermoso como en la obra literaria; nos entrega las historias más sublimes, las de un destino fatal que une a los amantes. Son aquellas que aparecen en la novela caballeresca y sentimental, en la pastoril y los romances, en el teatro romántico. Presentan una forma de relación que no responde a la realidad social de matrimonios convenidos por intereses, sino que la idealiza mediante el amor secreto y oculto. Precisamente cuando la evolución de las costumbres permite el encuentro libre de los enamorados y desaparece la oposición de la sociedad a sus relaciones prematrimoniales, la literatura deja de interesarse por la pareja, y sólo la retoma si perduran algunas de las causas que impiden el idilio: prohibición de la familia, distinta clase social...; o bien reaparecen en los últimos años figuras clásicas que gozaron de amores tempestuosos.

La literatura basada en los relatos míticos ofrece, como se puede ver en su lugar, numerosas parejas de amantes: Venus y Adonis, Alfeo y Aretusa, Teseo y

Ariadna, Perseo y Andrómeda, Jasón y Medea, Orfeo y Eurídice, Eco y Narciso, Psique y Cupido, Píramo y Tisbe, Acis y Galatea, Hero y Leandro. La aproximación a la experiencia amorosa-literaria de los jóvenes amantes se puede realizar a través de: Don Melón y Doña Endrina, *Libro de buen amor* (1330, 1343) de JUAN RUIZ, arcipreste de Hita. Tirante y Carmesina, *Tirant lo Blanch* (med. siglo XV) de JOANOT MARTORELL. Arnalte y Lucenda, *Tratado de amores de Arnalte y Lucenda* (h. 1477) y Leriano y Laureola, *Cárcel de amor* (1492), de DIEGO FERNANDEZ DE SAN PEDRO. Grisel y Mirabella; Grimalte y Gradissa, en las obras del mismo nombre (h. 1495), de JUAN DE FLORES.

En los *Romances:* Montesinos y Rosa Florida, *En Castilla está un castillo;* Conde Claros de Montalván y Claraniña, *Media noche era por filo;* Olinos y Albaniña, *Madrugaba el conde Olinos;* la gentil dama y el rústico pastor, *Estase la gentil dama;* Calisto y Melibea, *Tragicomedia de Calisto y Melibea,* (1499?-1500), de FERNANDO DE ROJAS. Oriana la Bella y Amadís, *Amadís de Gaula* (refundido en 1508), y Esplandián y Leonorina, *Las Sergas de Esplandián* (1510), de GARCI RODRIGUEZ DE MONTALVO. Don Duardos y Flérida, *Primaleón* (1512), anónima. Abindarráez y Jarifa, *Historia del Abencerraje y de la hermosa Jarifa* (1551), de ANTONIO DE VILLEGAS. Nemoroso y Elisa, *Egloga I* (póst., 1543), de GARCILASO DE LA VEGA. Diana y Sireno, Selvática y Alamis, Felismena y Felix, Ismenia y Montano, *Los siete libros de Diana* (1559), de JORGE DE MONTEMAYOR, y *La Diana enamorada* (1564), de GASPAR GIL POLO. Isabel Segura y Diego Marsilla, *Los amantes* (1581), de ANDRES REY DE ARTIEDA; *Los amantes de Teruel,* de TIRSO DE MOLINA (1581), de JUAN PEREZ DE MONTALVAN (1638) y de JUAN EUGENIO DE HARTZENBUSCH (1837). Don Juan y Doña Inés (ver Donjuanismo). El Quijote y Dulcinea, Cardenio y Luscinda, Fernando y Dorotea, *El Quijote* (1605, 1615); Ricaredo e Isabel, *La española inglesa* (1613); Persiles y Segismunda, en la

obra del mismo nombre (1617), de MIGUEL DE CER-
VANTES. Jimena y el Cid, *Las mocedades del Cid* (1618),
de GUILLEN DE CASTRO. Don Alonso Manrique y
Doña Inés, *El caballero de Olmedo* (1620-1625) y Doro-
tea y Fernando, *La Dorotea* (1632), de LOPE DE VEGA.
Doña Inés de Castro y Don Pedro el Justiciero, *Reinar
después de morir* (publ. póst., 1652), de LUIS VELEZ DE
GUEVARA. Raquel y Alfonso VIII (ver Reyes). Paquita
y Carlos, *El sí de las niñas* (1805), de LEANDRO FER-
NANDEZ MORATIN. Alvaro y Leonor, *Don Alvaro o la
fuerza del sino* (1835), del DUQUE DE RIVAS. Inés de
Vargas y Diego Martínez, *A buen juez, mejor testigo*
(1838-1840), de JOSE ZORRILLA. Garcés y Constanza,
La corza blanca (1861-1864, publ. 1871), leyenda de
GUSTAVO ADOLFO BECQUER. Inés y Gabriel, *El 19
de marzo y el 2 de Mayo* (1873); Rosario y Pepe Rey,
Doña Perfecta (1876); Marianela y Pablo, *Marianela*
(1878), de BENITO PEREZ GALDOS. Fabián Conde y
Gabriela, *El escándalo* (1875) y Manuel Venegas y So-
ledad, *El niño de la bola* (1880), de PEDRO ANTONIO
DE ALARCON. El Marqués de Bradomín y María Ro-
sario y la Niña Chole, *Sonata de primavera* (1904), y *So-
nata de estío* (1903), de RAMON DEL VALLE INCLAN.
Andrés y Lulu, *El árbol de la ciencia* (1911), de PIO BA-
ROJA. Leonardo y la Novia, *Bodas de sangre* (1935), de
FEDERICO GARCIA LORCA. Teresa y Manolo "Pijoa-
parte", *Ultimas tardes con Teresa* (1966), de JUAN MAR-
SE. Jimena y Minaya, *Anillos para una dama* (1973), de
ANTONIO GALA. Cleopatra y Antonio, *No digas que fue
un sueño* (1986), de TERENCI MOIX.

* * *

Estudios de referencia al tema: J. RUIZ CONDE, *El
Amor y el Matrimonio secreto en los Libros de Caballería*
(1948). M. RIQUER, *Caballeros andantes españoles*
(1967), D. CVITANOVIC, *La novela sentimental española*
(1973). F. ALBERONI, *Enamoramiento y amor* (1981).

Ver **Donjuanismo, erotismo, mitos.**

46. PICARO

La novela que se ha denominado picaresca, hasta casi formar un género narrativo, tiene unas características comunes: es una biografía —supuesta biografía— de un individuo de baja extracción social, sin oficio conocido ni posición estable, mozo de muchos amos, que narra sus aventuras en ciudades y villas, generalmente castellanas, encaminadas todas ellas a sobrevivir. La visión del mundo que ofrece difiere de unas a otras, precisamente porque transcurre contemporáneamente a la narración.

La lozana andaluza (1528 ed. más antigua), de FRANCISCO DELICADO, es considerada por algunos críticos la primera novela picaresca española. De padre mujeriego, desenvuelta y ligera de cascos, ejerce de cortesana, alcahueta, perfumera. A través de sus andanzas, Delicado hace una parodia social. En 1554 aparece *La vida del Lazarillo de Tormes*, reconocida por algunos como precursora o prototipo de la picaresca. No hay que olvidar que la autobiografía satírica de Lázaro se escribe y publica cuando los lectores españoles consumían libros de caballería. La moda de la novela picaresca se origina cuarenta y cinco años más tarde con *Guzmán de Alfarache* (1.ª parte, 1599; 2.ª parte, 1605) de MATEO ALEMAN. Guzmán es el pícaro por antonomasia; pertenece a una época distinta de la de Lázaro, y así nos da una visión desoladora y amarga de la sociedad, con digresiones moralizantes. JUAN MARTI, en 1602, continúa la primera parte del Guzmán: *Segunda parte de la vida del pícaro Guzmán de Alfarache. Compuesto por Matheo Luxan de Sayavedra.* Esta continuación apócrifa es pesada y confusa y le valió a su autor las invectivas de Mateo Alemán. En 1605, aunque data de 1582, aparece *La pícara Justina*, de FRANCISCO LOPEZ DE UBEDA. Justina es alegre, astuta y desenvuelta; arquetipo de las delincuentes femeninas, se remonta en su autobiografía a los bisabuelos para mostrar de dónde proviene su afán de aventura. ALONSO JERONIMO DE SALAS BARBADILLO presenta otro personaje femenino en *La hija de Celestina* (1612), "la ingeniosa Elena", hija de madre morisca y padre gallego, es hermosa e hipócrita. Sus aventuras acaban con una condena a muerte. Salas Barbadillo escribió otra novela del género, parte de ella en verso, *El sutil cordobés Pedro de Urdemalas* (1620), tejedor de embustes como indica su nombre. Escritas anteriormente, pero publicadas en 1613, tres de las *Novelas ejemplares* de MIGUEL DE CERVANTES presentan el mundo de la picaresca: *Rinconete y Cortadillo*, la historia de dos muchachos vagabundos, es una crítica irónica de la deformidad moral del mundo. En *El coloquio de los perros*, Berganza, un perro pícaro, relata de forma ingeniosa los diversos caracteres de sus amos. Y *La ilustre fregona* permite conocer la vida española de finales del siglo XVI a través de dos jóvenes nobles disfrazados de pícaros, Tomás Pedro y Lope Asturiano, en busca de aventuras y libertad; al final de la novela se revela su personalidad, Diego de Carriazo y Tomás de Avendaño, y retornan a su vida cotidiana. La reflexión sobre el joven que soñaba años antes con las hazañas de Caballero y hoy con las de Pícaro, se hace inevitable y permite comprender la situación del país y el éxito y decadencia de uno y otro género. El doctor CARLOS GARCIA publica *Desordenada codicia de los bienes ajenos* (1617), que titula también *"La antigüedad y nobleza de los ladrones"*. Andrés narra sus aventuras y expone el oficio de ladrón. *Marcos de Obregón* (1618), de VICENTE ESPINEL, señala ciertas diferencias con las anteriores. De fondo autobiográfico, la narración comienza en los años maduros de Marcos y no tiene el carácter canallesco propio del pícaro. Por otro lado, aquí el héroe es un pecador arrepentido que acepta el mundo tal como es. JUAN CORTES DE TOLOSA escribió una obra de poco éxito, *Lazarillo de Manzanares* (1620): Lázaro, hijo adoptivo de ladrón y hechicera, criado de diversos señores, acaba emigrando a México. Este mismo año de 1620 aparece la *Segunda parte del Lazarillo de Tormes,* de JUAN DE LUNA, que guarda poca fidelidad al genuino Lazarillo. JERONIMO DE ALCALA YAÑEZ Y RIBERA publica, en 1624 y 1626, la Primera y Segunda parte, respectivamente, de *Donado hablador o Alonso, Mozo de muchos amos,* escrita en forma dialogada y con técnica retrospectiva, ya que Alonso es ermitaño cuando cuenta su vida. Tanto en la primera como en la segunda parte, el protagonista acaba huyendo en busca de reposo espiritual a la vida religiosa, lo que le diferencia de otros pícaros que paran en galeras. La *Historia de la Vida del Buscón, llamado Don Pablos; exemplo de vagamundos y espejo de tacaños,* escrita por FRANCISCO DE QUEVEDO posiblemente en 1603 —no vio la luz hasta 1626— culmina el estudio psicológico de la novela picaresca. Quevedo, a través del astuto Pablos de Segovia, denuncia a la sociedad, de la que da una deformación caricaturesca y esencialmente humorística. ALONSO CASTILLO SOLORZANO escribe tres novelas en las que los protagonistas son mujeres: *Harpías de Madrid y coches de las estafas* (1631), *La niña de los embustes, Teresa de Manzanares, natural de Madrid* (1632) y *La Garduña de Sevilla y anzuelo de bolsas* (1642). En la primera cuenta las andanzas de cuatro mujeres que vienen de Sevilla a Madrid en busca de dinero y aventuras. Las pícaras adoptan formas cortesanas para conseguir sus fines. Teresa de Manzanares es una pícara "dulcificada y urbanizada". La Garduña es Rufina, hija del bachiller Trapaza, continuación, pues, de *Aventuras del bachiller Trapaza* (1637), "quinta essencia

180

de Embusteros, y Maestro de Embelecadores". El estudiante cambia sus hábitos por los de aventurero, hasta que, convicto de delito, va a parar a galeras. Sin embargo, no hay en ella la descarnada amargura de otras novelas. *El diablo cojuelo* (1641), de LUIS VELEZ DE GUEVARA, contribuye también a la producción picaresca por medio de las aventuras del estudiante Cleofás Leandro Pérez Zambullo, acompañado por el diablo, verdadero pícaro de la novela. La *Vida de don Gregorio Guadaña* (1644), de ANTONIO ENRIQUEZ GOMEZ, tiene un cierto tono galante que hace que el protagonista sea un aventurero más que un pícaro. *La vida i hechos de Estebanillo González, Hombre de buen humor, compuesto por él mesmo* (1646) da la sensación de ser un relato de sucesos vividos; la historia real vista por un pícaro. Aunque no hay en ella sátira social es la última obra en la que se encuentran los elementos básicos de la tradición picaresca. *Periquillo el de las gallineras* (1668), de FRANCISCO DE SANTOS, muestra, precisamente, la descomposición del género. Periquillo, desengañado y desilusionado, acepta resignadamente su situación, dando así una versión edificante. Se podría decir que se ha llegado a la anti-picaresca. JOSE DE CAÑIZARES escribe *El picarillo de España, Señor de la Gran Canaria* (1.ª mitad siglo XVIII), sobre Federico de Bracamonte, hijo del descubridor de las Islas, que vive en la Corte disfrazado de pícaro. La obra de DIEGO TORRES VILLARROEL, *Vida, ascendencia, nacimiento, crianza y aventuras de Don Diego Torres de Villarroel escrita por él mismo* (1745), es una deformación grotesca de una auténtica autobiografía. Ha sido calificado por algunos como picaresca póstuma.

La proliferación de la novela picaresca durante más de un siglo fue decayendo hasta desaparecer totalmente, pero algunas de las características del pícaro perviven en ciertos personajes de GALDOS o de BAROJA, como en la trilogía *La lucha por la vida: La busca* (1904),

181

Mala hierba (1904) y *Aurora roja* (1905). CAMILO JOSE CELA retoma el tema en clave irónica en *Nuevas andanzas y desventuras de Lazarillo de Tormes* (1946). JUAN ANTONIO ZUNZUNEGUI en *La vida como es* (1954), subtitulada *"Novela picaresca en muy paladina lengua española escrita en Madrid"*. JUAN ANTONIO GAYA NUÑO en *Tratado de mendicidad* (1962), de corte picaresco. MANUEL BARRIOS en *Retablo de picardías* (1972), presenta a un pícaro de la Sevilla contemporánea. El protagonista-loco de *El misterio de la cripta embrujada* (1979), de EDUARDO MENDOZA, recuerda en muchos momentos, a través de sus peripecias, la sátira burlesca de la novela picaresca. *La canción del pirata* (1983), de FERNANDO QUIÑONES, sitúa en el siglo XVII "la vida y embarques del bribón Cantueso", truhán y estafador, que cuenta desde la cárcel su vida a su hijo para que le sirva de escarmiento.

* * *

La picaresca, en general, y determinadas obras en particular, han sido objeto de numerosos estudios, prueba del interés que ha suscitado el tema. Para facilitar la consulta se incluyen en orden alfabético: D. ALONSO, "El realismo psicológico en el Lazarillo", en *De los siglos oscuros al de Oro* (1958). M. BATAILLON, *Novedad y fecundidad en el Lazarillo de Tormes* (1968). *Pícaros y picaresca. (La pícara Justina)* (1969). C. BAYO Y SEGUROLA, *Lazarillo español. Guía de vagos en tierras de España por un peregrino industrioso*. Prólogo de Azorín (1911). E. CROSS, *Mateo Alemán. Introducción a su vida y a su obra* (1971). J. DELEITO Y PIÑUELA, "La vida picaresca" en *La mala vida en la España de Felipe IV* (1948). A. FRANCIS, *Picaresca, decadencia, historia (Aproximación a una realidad histórico-literaria)* (1978). A. GONZALEZ PALENCIA, *Del Lazarillo a Quevedo* (1946). CEA GUTIERREZ y ALVAREZ BARRIENTOS, *Fuentes etnográficas en la novela picaresca española. I. Los Lazarillos* (1986). T. HANRAHAN, *La mujer en la pi-*

caresca de Mateo Alemán (1964). J. L. LAURENTI, *Ensayo de una bibliografía de la novela picaresca española. Años 1554-1964* (1968), *Estudios sobre la novela picaresca española* (1970), *Los prólogos en las novelas picarescas españolas* (1971). F. LAZARO CARRETER, *Tres historias de España. Lázaro de Tormes, Guzmán de Alfarache y Pablos de Segovia* (1960). *Lazarillo de Tormes en la picaresca* (1973). J. A. MARAVALL, *La literatura picaresca desde la historia social* (1987). M. MOLHO, *Introducción al pensamiento picaresco* (1972). A. DEL MONTE, *Itinerario de la novela picaresca* (1971). E. MORENO BAEZ, *Lección y sentido del Guzmán de Alfarache* (1948). A. A. PARKER, *Los pícaros en la literatura. La novela picaresca en España y en Europa (1599-1753)* (1971). L. POLAINO, *La delincuencia en la picaresca* (1964). J. V. RICAPITO, *Bibliografía razonada y anotada de las obras maestras de la picaresca española.* F. RICO, *La novela picaresca y el punto de vista* (1970), *Problemas del Lazarillo* (1980). J. RODRIGUEZ-PUERTOLAS, "Lazarillo de Tormes o la desmitificación del Imperio", en *Literatura, Historia, Alienación* (1976). R. SALILLAS, *El delincuente español. Hampa (antropología picaresca)* (1898). R. P. SEBOLD, *Novela y autobiografía en la "Vida" de Torres Villarroel* (1976). E. SUAREZ-GALVAN, *La vida de Torres Villarroel. Literatura antipicaresca, autobiografía burguesa* (1975). J. TALENS, *Novela picaresca y práctica de la transgresión* (1975). E. TIERNO GALVAN, *Sobre la novela picaresca y otros escritos* (1974). A. ZAMORA VICENTE, *¿Qué es la novela picaresca?* (1962).

47. POLITICA

La actividad política no es considerada globalmente por la literatura, es más bien el proceso, las acciones o instituciones, las que son recogidas por la obra literaria. Interesa desde una determinada perspectiva, donde los personajes, fruto de la imaginación del autor, están inmersos en un determinado contexto político, del que, en ocasiones, es imposible prescindir, pues la verosimilitud de la acción así lo exige. En otros momentos el escritor alude directamente al entramado político o al que detenta el poder para denunciar los abusos y satirizar los comportamientos; también, en contadas circunstancias, alaba el estado de cosas y sus gerentes.

Ver **Aristocracia, burguesía, exilio, guerra, pueblo, reyes, sátira, sociedad.**

48. PUEBLO

La literatura, como en otros muchos aspectos, es testigo y expresión de la situación de los hombres a lo largo del tiempo. El grupo humano menos favorecido por los bienes de la fortuna ha tenido también su voz desde la Edad Media. Las condiciones sociales a las que el pueblo se ha visto sometido difieren con el correr de los siglos, de siervos y campesinos a obreros industriales; en cualquier caso, dependen de los que tienen rentas propias. Tampoco la ficción literaria es ajena a aquellos individuos totalmente desheredados, que sobreviven gracias a la mendicidad, o recurren al engaño y al hurto como medio de subsistencia.

La poesía medieval refleja una actitud crítica contra la organización social que propicia y mantiene la injusticia. El *Poema de Alfonso Onceno* (h. 1348), atribuido a **RODRIGO YAÑEZ**, denuncia la situación en que se encuentran los labradores, desamparados del mundo, "pasaban gran mansiella". El *Libro de miseria de omne* (fin. siglo XIV), poema anónimo escrito en cuaderna via, afirma que el pobre viste mal, no tiene dónde guarecerse y es despreciado por todos. Si es siervo, añade, el señor se aprovecha de él. **RUY PAEZ DE RIBERA**, en *Este decir fizo e ordenó como a manera de proceso que hubieron en uno la dolencia e la vejez e el destierro e la pobreza* (princ. siglo XV) y en *Decir a la reina doña Catalina* (h. 1406-1419), ambas en el *Cancionero de Baena,* se lamenta de que el hidalgo, si es pobre, no es atendido por nadie, y que los labradores son apremiados por los arrendadores. El crecimiento de las ciudades creó un nuevo tipo de personas sin recursos propios, pequeños artesanos, aprendices, criados, pícaros. La novela picaresca supone un documento inapreciable de la vida de los grupos marginados de la ciudad. FRANCISCO SANTOS, en *Día y noche de Madrid* (1663), describe en los primeros dircursos las costumbres de los pobres, los refugios de los huérfanos, la mendicidad organizada. El siglo XVIII, sensible a la situación de miseria y abandono en la que se encuentra la España rural, denuncia los males que la aquejan y propone soluciones: así GASPAR MELCHOR DE JOVELLANOS en *Informe en el expediente de ley agraria* (1795) culmina las ideas de la Ilustración sobre la siempre necesaria y urgente reforma agraria. El tardío desarrollo industrial y el interés de los lectores de la novela decimonónica por los personajes pertenecientes a su propia clase social, la burguesía, no es óbice para poder contar con algunas novelas en la que aparecen tipos de la categoría social que se está reseñando. En *La tribuna* (1883), de EMILIA PARDO BAZAN, Amparo, ejemplo raro en la novelística, es obrera en una fábrica de tabaco. En *La Regenta* (1884), de LEOPOLDO ALAS, *CLARIN*, no se puede olvidar la existencia de los obreros de las minas. En la larga nómina de personajes desheredados y mendigos de BENITO PEREZ GALDOS destaca Benina y el moro Almudena en *Misericordia* (1897). La trilogía *La lucha por la vida: La busca* (1904), *Mala hierba* (1904) y *Aurora roja* (1905), de PIO BAROJA, presenta el ambiente de los golfos en los barrios bajos, la clase obrera y el proletariado anarquista. VICENTE BLASCO IBAÑEZ, en *El intruso* (1904) relata los conflictos sociales de Bilbao; en *La bodega* (1904-1905), el movimiento anarquista en Jerez; y, en *La horda* (1905), critica a aquellos que no quieren ver la miseria que les rodea. *La Sangre de Cristo* (1907), de JOSE LOPEZ PINILLOS, denuncia la injusticia social en un pequeño pueblo extremeño. FELIPE TRIGO en *Jarrapellejos* (1914) plantea los problemas sociales del medio rural, ocasionados por el caciquismo. *Divinas palabras* (1920), de RAMÓN DEL VALLE INCLAN, ofrece una auténtica galería de personajes del submundo de Galicia: mendigos, lisiados, truhanes, giran en torno a la protagonista, Mari Gaila. *La familia de Pascual Duarte* (1942), de CAMILO JOSÉ CELA, muestra la miseria del campo extremeño y las condiciones infrahumanas en las que viven los más desheredados. En *La ceniza fue árbol*, trilogía de IGNACIO AGUSTI, formada por *Mariona Rebull* (1944), *El viudo Rius* (1945) y *Desiderio* (1957), surgen ya las primeras organizaciones obreras de principios del siglo XX y la lucha sindical promovida por ellas. *El vencido* (1949), segunda parte de la trilogía *Vísperas* de MANUEL ANDUJAR, refiere la vida de los trabajadores en las minas de Asturias. El ambiente de miseria de las chabolas madrileñas, que acoge a los sin trabajo y a aquellos que apenas pueden vivir de su trabajo está presente en *Los olvidados* (1957) de ANGEL M.ª DE LERA. *La mina* (1960), de ARMANDO LOPEZ SALINAS, denuncia la injusticia social del mundo del trabajo: los campesinos sin tierra y los mineros. RICARDO RODRIGUEZ BUDED representa en *La madriguera* (estrenada en 1960), la vida insoportable de varias familias que han de compartir un piso. ALFONSO GROSSO presenta distintos tipos de trabajadores, de la construcción en *La zanja* (1961), de la pesca en *Testa de copo* (1963), y el campesino andaluz en *El Capirote* (1966). JOSE MANUEL CABALLERO BONALD, en *Dos días de septiembre* (1962), muestra la situación laboral del pueblo andaluz tomando como eje narrativo a los vendimiadores. *El suceso* (1965), de JOSE ANTONIO VIZCAINO, centra la acción en los obreros de la construcción, y *Can Girona* (1972), de JOSE RAMON ARANA, en los trabajadores de una fábrica. La opresión que sufren los todavía siervos del campo permanece en *Los santos inocentes* (1981) de MIGUEL DELIBES.

Ver **Criados, emigración, pícaro, sociedad.**

49. RECUERDO

El sentimiento de la temporalidad está en el hombre íntimamente ligado a la fugacidad. El presente instantáneo, inaprensible, deja una huella que la rememoración trata de perdurar. El recuerdo permite recuperar los momentos efímeros, e incluso comprender y asumir en la distancia, en el hoy, la dicha y el dolor de ayer. El recuerdo, dirá Gabriel Miró en El humo dormido *(1919), "aplica [al pasado] la plenitud de la conciencia". Hay, afirma, "episodios y zonas de nuestra vida que no se ven del todo hasta que los revivimos por el recuerdo". Por otra parte, el hombre amolda a sus deseos el pasado, lo idealiza, hace que aquello que fue sea como hubiese querido; el recuerdo se aproxima así al sueño, quizá la "tercera cosa" que Antonio Machado propone como adivinanza "Entre el vivir y el soñar", pudiera ser el recordar y no el despertar.*

Ver **Tiempo**.

50. RELIGION

El hecho religioso lo aborda la literatura desde dos vertientes, en su aspecto sociológico y desde el punto de vista de la fe. En el primer supuesto hay una constante incidencia del fenómeno religioso en la vida española, de tal manera que difícilmente se puede aislar en el entramado social lo que hay de creencia colectiva y de sociedad sacralizada. Siglos de mutua influencia, períodos de crítica y confrontación, pero nunca de indiferencia, han quedado plasmados en la novela y el teatro. La fe individualiza la postura del hombre frente a Dios; la adhesión, la duda o la negación quedan como patrimonio absolutamente personal de cada conciencia, las interferencias del entorno no llegan a alcanzar el núcleo más íntimo donde se debate la relación trascendente, y encuentra en la expresión poética su cauce más apropiado.

* * *

Se puede consultar: A. RICHARDSON, *El debate contemporáneo sobre la religión.* D. ALVAREZ, *Fe y ateísmo en el teatro moderno.*

Ver **Anticlericalismo, Dios, fe, mística, sacerdote, sátira.**

51. REYES

La tradición monárquica española ha sido recogida en la literatura de tal manera que casi se podría establecer un hilo conductor de los monarcas, desde el último rey godo, don Rodrigo, hasta don Alfonso XIII. La bibliografía ha seleccionado una muestra de las obras de ficción que se ocupan de los reyes españoles, no siempre con fidelidad histórica, pues en muchas ocasiones los autores, como Lope de Vega, no tratan de hacer una semblanza, sino que utilizan al personaje como mero pretexto para dramatizar una situación. Los datos que algunas obras recogen no están fundamentados, pues, en fuentes históricas, sino que han sido tomados de la tradición popular. Algunos reyes han sido favoritos a la hora de acaparar el interés de los autores, como Pedro I de Castilla o el Príncipe don Carlos. Mientras que otros, como Felipe III, Felipe V o Fernando VI, no han atraído la atención de los escritores. Quizá la razón haya que buscarla en la vida azarosa de los primeros, más propicia a la ficción literaria.

La bibliografía sigue el orden cronológico de los monarcas.

*Don Rodrigo (*mediados siglo VII-princ. siglo VIII), último rey godo. *Romances del rey Rodrigo* (siglo VIII). PEDRO CORRAL, *Crónica sarracina* (1430). Fray LUIS DE LEON, *Oda* (1572-1576). MIGUEL DE LUNA, *Historia verdadera del rey don Rodrigo,* novela fantástica (1589). LOPE DE VEGA, *El último rey godo* (1615).

Alfonso II el Casto (791-842), rey de Asturias, hijo de Fruela I. Reinó durante 52 años. *Romance Bernardo y el rey.* LOPE DE VEGA, *El casamiento de la muerte* (h.

1597, impr. 1604). ANTONIO MIRA DE AMESCUA, *Las desgracias del rey don Alfonso el Casto,* (1615). JUAN EUGENIO DE HARTZENBUSCH, *Alfonso el Casto* (1841).

Alfonso III el Magno (866-910), rey de Asturias, hijo de Ordoño I. JUAN RUIZ DE ALARCON, *No hay mal que por bien no venga* (1653).

Alfonso IV el Monje (926-932), rey de León, hijo de Ordoño II. CAROLINA CORONADO, *Alfonso IV de León* (h. 1850).

Alfonso V (†1028), rey de León, hijo de Vermudo II. JUAN RUIZ DE ALARCON, *Los pechos privilegiados* (1634).

Sancho II el Fuerte (1038?-1072), rey de León, hijo de Fernando de Castilla y Sancha de León. *Romances de la gesta de Sancho el Fuerte.* JUAN DE LA CUEVA, *Comedia de la muerte del rey don Sancho* (1583).

Alfonso VI (1040-1109), rey de Castilla y León, segundo hijo de Fernando I de Castilla y Sancha de León. *Mio Cid* (h. 1140). *Romance Jura de Santa Gadea y destierro del Cid.* ANTONIO GALA, *Anillos para una dama* (1974).

Doña Urraca (1080-1126), reina de Castilla, hija de Alfonso VI y Constanza de Borgoña. Casada con don Raimundo de Borgoña, y a su muerte, con Alfonso el Batallador. LOURDES ORTIZ, *Urraca* (1982).

Alfonso VII (1105-1157), rey de Castilla, León y Toledo. Hijo de doña Urraca y de don Raimundo de Borgoña. La tradición ha hecho de él un rey justiciero. LOPE DE VEGA, *El mejor alcalde el rey* (1635).

Alfonso VIII (1155-1214), rey de Castilla, hijo de Sancho III el Deseado y Blanca de Navarra. Casado con Leonor de Aquitania. Sus amores con una judía han ofrecido abundante temática a la literatura. LORENZO DE SEPULVEDA, *Romances nuevamente sacados de historias antiguas de la Crónica de España* (1551). ANTONIO MIRA DE AMESCUA, *La desgraciada Raquel* (h. 1605). LOPE DE VEGA, *La Jerusalén conquistada,* poema (1609); *Las paces de los reyes y judía de Toledo* (1616).

191

LUIS VELEZ DE GUEVARA, *La hermosura de Raquel* (1615). HORTENSIO FELIX PARAVICINO Y ARTEAGA, *Muerte de la judía Raquel manceba de Alfonso VIII* (1641). JUAN BAUTISTA DIAMANTE, *La judía de Toledo* (mediados siglo XVII). LUIS ULLOA PEREYRA, *Alfonso VIII*, poema épico (1650). VICENTE GARCIA DE LA HUERTA, *Raquel* (1772).

Jaime el Conquistador (1208-1276), rey de Aragón, hijo de Pedro II el Católico y María de Montpellier. PATRICIO DE LA ESCOSURA, *Don Jaime el Conquistador. Drama histórico en verso* (1838).

Doña María de Molina (1265-1321), hija de don Alfonso, hermano de Fernando III el Santo. Casada con Sancho IV. Sostuvo el trono de Castilla durante la minoría de su hijo Fernando IV, y posteriormente ejerció también la tutoría de su nieto Alfonso XI. TIRSO DE MOLINA, *La prudencia en la mujer* (1634).

Alfonso XI (1311-1349), rey de Castilla y León. Hijo de Fernando IV y Constanza de Portugal. Casado con María de Portugal, tuvo públicos amores con Leonor de Guzmán, que daría lugar a la rama bastarda de los Trastamara. FRANCISCO ROJAS ZORRILLA, *Del rey abajo, ninguno* (1640).

Pedro I el Cruel (1334-1369), rey de Castilla, hijo de Alfonso XI y María de Portugal. Casado con Blanca de Borbón, vivió largos años con María de Padilla. Murió asesinado por su hermanastro Enrique II de Trastamara. Los escritores recogen la tradición de justiciero, administrador de justicia, sobre la de cruel, y su fama de enamoradizo. Romance viejo sobre el reinado de don Pedro el Cruel: *Don Pedro y el prior de San Juan*. LOPE DE VEGA, *La niña de plata* (1617), *Lo cierto por lo dudoso* (1625), *El infanzón de Illescas* (1633), *El rey don Pedro en Madrid* (1633), *La carbonera* (1635), *Los Ramírez de Arellano* (1641), *Audiencias del rey don Pedro* (inédita, publ. por Menéndez Pelayo). LUIS VELEZ DE GUEVARA, *El diablo está en Cantillana* (1622). JUAN RUIZ DE ALARCON, *Ganar amigos* (1628?). PEDRO

CALDERON DE LA BARCA, *El médico de su honra* (1637). AGUSTIN MORETO, *El valiente justiciero y rico-hombre de Alcalá* (1654). JOSE ZORRILLA, *El zapatero y el rey* (1841). DUQUE DE RIVAS, el romance *Una antigualla de Sevilla* (1841). MANUEL FERNANDEZ Y GONZALEZ, *Men Rodríguez de Sanabria* (1853).

Enrique III el Doliente (1379-1406), rey de Castilla, hijo de Juan I y Leonor de Aragón. Casado con Catalina de Lancaster. LOPE DE VEGA, *Peribáñez y el Comendador de Ocaña* (1614).

Enrique IV el Impotente (1425-1474), rey de Castilla, hijo de Juan II y María de Portugal. Hermanastro de Isabel I de Castilla. El motivo inicial de *En busca del Unicornio* (1988), de JUAN DE ESLAVA GALAN, es encontrar el remedio a la impotencia del monarca.

Reyes Católicos. Isabel (1451-1504), hija de Juan II de Castilla e Isabel de Portugal. *Fernando* (1452-1516), rey de Aragón, hijo de Juan II de Aragón y Juana Enríquez. LOPE DE VEGA, *El mejor mozo de España* (1625), trata de los preliminares de las bodas de Isabel y Fernando; *Fuenteovejuna* (1619), recalca el papel justiciero de la monarquía.

Juana I la Loca (1479-1555), hija de Isabel y Fernando. Casada con Felipe el Hermoso. MANUEL TAMAYO Y BAUS, *La locura de amor* (1855).

Carlos I (1500-1558), rey de España y emperador de Alemania. Hijo de Juana y Felipe. Casado con Isabel de Portugal. ALFONSO VALDES, *Diálogo de Mercurio y Carón*, (1529-30), sobre la política de Carlos, que rige con sabiduría y justicia a su pueblo. LUIS ZAPATA, *Carlo famoso* (1566), poema épico en octavas reales, exaltando a Carlos V. LOPE DE VEGA, *Carlos V en Francia* (1623), *La mayor desgracia de Carlos V y hechicerías de Argel* (1632). FRANCISCO DE ROJAS ZORRILLA, *El desafío de Carlos V* (1635). DIEGO JIMENEZ DE ENCISO, *La mayor hazaña de Carlos V* (1642), sobre el retiro en Yuste, lo mismo que *La hija de Carlos V*, de ANTONIO MIRA DE AMESCUA.

193

Felipe II (1527-1598), rey de España, hijo de Carlos I e Isabel de Portugal. Casado con María de Portugal, María de Inglaterra, Isabel de Valois y Ana de Austria. Como infante aparece en: GASPAR DE AVILA, *El valeroso Español y primero de su casa* (1638). SALUSTIO DEL POYO, *El premio de las letras por el Rey Don Felipe II* (1615). Como hijo respetuoso, la ya citada de DIEGO JIMENEZ DE ENCISO, *La mayor hazaña de Carlos V* (1642). Como rey: LOPE DE VEGA, *Tragedia del Rey don Sebastián y bautismo del Príncipe de Marruecos* (1603). LUIS VELEZ DE GUEVARA, *El rey don Sebastián* (h. 1622). F. DE VILLEGAS, *El rey don Sebastián y portugués más heroico* (s. XVIII). A. DE CLARAMONTE y CORROY, *El valiente negro de Flandes* (1638). JUAN BAUTISTA DIAMANTE, *El hércules de Ocaña* (ant. 1644). JUAN PEREZ DE MONTALBAN, *Comedia famosa del gran Séneca de España, Felipe II* (1632). PEDRO CALDERON DE LA BARCA, *El alcalde de Zalamea* (1636), presenta a Felipe como el rey sabio, prudente y justo, símbolo y depositario del orden. PATRICIO DE LA ESCOSURA, en la novela *Ni rey ni Roque* (1835), narra un "Episodio histórico del Reinado de Felipe II, año de 1595". JOSE M.ª PEMAN, el drama *Felipe II, las soledades del rey* (1958). RAMON J. SENDER en *Tres novelas teresianas* (1967) provoca un encuentro entre Santa Teresa y el rey Felipe. ALFONSO PASO plantea un diálogo entre el monarca y Antonio Pérez en *Ocho preguntas a un monarca* (1984). PEDRO CASALS, *Las hogueras del rey* (1989), sobre las intrigas en torno al monarca.

Príncipe don Carlos (1545-1568), heredero del trono, hijo de Felipe II y María de Portugal. El conflicto con su padre ha despertado siempre gran interés. G. LOPEZ, *Relación de la muerte y honras fúnebres del S. Príncipe Don Carlos* (1568). DIEGO JIMENEZ DE ENCISO, *El Príncipe Don Carlos* (escr. h. 1621, impr. 1634). J. DE CAÑIZARES, *El Príncipe don Carlos* (h. 1700). EUGENIO DE OCHOA, *Auto de fe* (1837), semblanza de Felipe II y su hijo. GASPAR NUÑEZ DE ARCE, *El haz de leña* (1872). SALVADOR DE MADARIAGA, *Don Carlos, poema dramático en cuatro actos* (1940). CARLOS MUÑIZ, *Tragicomedia del serenísimo príncipe don Carlos* (1972).

Felipe IV (1605-1665), rey de España, hijo de Felipe III y Margarita de Austria. Casado con Isabel de Borbón y Mariana de Austria. MANUEL MACHADO le dedica en *Alma* (1900) un soneto *A Felipe IV,* inspirado en la pintura de Velázquez: "Nadie más cortesano ni pulido / que nuestro Rey Felipe que Dios guarde, / siempre de negro hasta los pies vestido». EMILIO CARRERE, *El reloj del amor y de la muerte* (1915). ANTONIO BUERO VALLEJO, *Las meninas* (1960). NESTOR LUJAN, *Decidnos, ·quién mató al Conde.* (1987).

Carlos II (1661 id.-1700), rey de España, hijo de Felipe IV y Mariana de Austria. Débil y enfermizo, se le creyó hechizado. ANTONIO GIL Y ZARATE, *Carlos II* (1837). FRANCISCO AYALA, "El hechizado", uno de los seis cuentos de *Los usurpadores* (1949). RAMON J. SENDER, *Carolus Rex* (1963).

Carlos III (1716 id.-1788). Hijo de Felipe V e Isabel de Farnesio. Casado con María Amalia de Sajonia. GASPAR MELCHOR DE JOVELLANOS, *Elogio del rey Carlos III* (1788). ANTONIO BUERO VALLEJO, *Un soñador para un pueblo* (1958), aunque la figura central es Esquilache, Carlos aparece debatiéndose en las dudas de la política.

Carlos IV (1748-1819), rey de España, hijo de Carlos III y María Amalia de Sajonia. Casado con María Luisa de Parma. BENITO PEREZ GALDOS, *Episodios Nacionales,* 1.ª serie, en especial *La corte de Carlos IV* (1873).

José I Bonaparte (1768-1844), hermano de Napoleón, reinó en España de 1808 a 1813. MANUEL M.ª DE ARJONA, *La Bética coronando al Rey Nuestro Señor don José Napoleón. Oda* (1810). BENITO PEREZ GALDOS, *El equipaje del rey José* (1875), *Episodios,* 2.ª serie. JUAN ANTONIO VALLEJO NAGERA, *Yo, el intruso* (1987) y *Yo el rey* (1988).

Fernando VII (1784-1833), rey de España tras el exilio en Francia. Hijo de Carlos IV y María Luisa de Parma. Casado con M.ª Antonia de Nápoles, M.ª Isabel de Braganza, M.ª Josefa Amalia de Sajonia y M.ª Cristina de Borbón. BENITO PEREZ GALDOS, *Episodios Nacionales*, 2.ª serie (1875-1879). ANTONIO BUERO VALLEJO, *El sueño de la razón* (1970). JUAN VAN-HALEN, *Memoria secreta del hermano Leviatán* (1988), supuesto relato autobiográfico de Fernando.

Isabel II (1830-1904), reina de España hasta su destronamiento en 1868, hija de Fernando VII y María Cristina de Borbón. Casada con su primo don Francisco de Asís, abdicó en su hijo Alfonso en 1870. BENITO PEREZ GALDOS, *La de los tristes destinos* (1907) de los *Episodios*, 4.ª serie. RAMON DEL VALLE INCLAN, *Farsa y licencia de la reina castiza* (1920), *La corte de los milagros* y *Viva mi dueño*, de *El ruedo ibérico* (1927). DOMINGO MIRAS, *De San Pascual a San Gil* (1974).RICARDO LOPEZ ARANDA, *Isabel, reina de corazones* (1983). RICARDO DE LA CIERVA, *El triángulo. Alumna de la libertad* (1988).

Amadeo de Saboya (1871-1885), hijo de Víctor Manuel II, rey de Italia. Reinó en España de 1871 a 1873. LUIS COLOMA, *Pequeñeces* (1891). BENITO PEREZ GALDOS, *Amadeo I* (1910) de la 4.ª serie de los *Episodios*.

Alfonso XII (1857-1885), rey de España, hijo de Isabel II y don Francisco de Asís. Casado unos meses con M.ª de las Mercedes de Montpensier (†1878) y M.ª Cristina de Hausburgo. JUAN IGNACIO LUCA DE TENA, *¿Dónde vas Alfonso XII?* (1957), *¿Dónde vas triste de ti?* (1959).

Alfonso XIII (1886-1941), rey de España hasta 1931 en que se declaró la República. Hijo póstumo de Alfonso XII y María Cristina. Casado con Victoria Eugenia de Battenberg. VICENTE BLASCO IBAÑEZ, *Por España y contra el rey* (1925), centrada en la dictadura de Primo de Rivera. ALVARO CUSTODIO, *Alfonso XIII de*

196

Bom-Bom (1931), farsa. ALEJANDRO NUÑEZ ALON-SO, *Cuando Alfonso era rey* (1962). RICARDO FERNAN-DEZ DE LA REGUERA y SUSANA MARCH, *Cuando don Alfonso era rey* (1963), *La boda de Alfonso XIII* (1965) y *La caída de un rey* (1973).

52. SACERDOTE

La persona del eclesiástico, del clérigo, incardinado en la institución social de la Iglesia, tanto en su dimensión espiritual como temporal ha creado figuras literarias de indudable relieve. En el siglo XVIII la crítica a las instituciones y el deseo de reforma y progreso, lleva al Padre José Francisco Isla, eclesiástico él mismo, a realizar una despiadada sátira de los vanos predicadores en Fray Gerundio de Campazas, alias Zote (1758).

Los autores se han aproximado al sacerdote no sólo por la función o status que ocupa en la sociedad española, sino porque han entrevisto en él una personalidad compleja. A partir de la novela realista del siglo XIX, el sacerdote es un personaje al que los novelistas vuelven con frecuencia en sus ficciones. El hombre, sometido a las presiones del mundo, a las tentaciones y dudas, unas veces triunfante y otras caído, es recogido por: JOSE MARIA PEREDA presenta en *Sotileza* (1885) al padre Apolinar, cura ejemplar. ARMANDO PALACIO VALDES, en *La fe* (1892), el padre Gil, virtuoso y cándido se ve envuelto en las malas artes de Obdulia. EMILIA PARDO BAZAN, en *Los Pazos de Ulloa* (1880), presenta a Julián Alvarez, joven sacerdote, que ha de actuar como capellán y administrador del Pazo; sin ningún éxito intenta reconducir al buen camino a Pedro Moscoso y consolar a la esposa Nucha. LEOPOLDO ALAS, *CLARIN*, en *La Regenta* (1884), hace un análisis excepcional del Magistral de la Catedral, Fermín de Pas; el ansia de poder y el amor por Ana dividen la conciencia del sacerdote. BENITO PEREZ GALDOS, en

Tormento (1884), muestra a Pedro Polo, presa de la pasión amorosa. Su caída le ha hecho perder el bienestar material y espiritual. Años después, Galdós, en *Nazarín* (1895), hará el retrato de un padre, Nazarín, pobre, de inagotable caridad que, perseguido por unos y otros se lanza al camino confiando en la providencia de Dios. La crisis de fe del hombre moderno se patentiza a través de tres obras de la generación del 98, en aquellos que, por profesión, no deberían dudar. MANUEL CIGES APARICIO en *El vicario* (1905) presenta por primera vez al sacerdote que ha perdido la fe. Don Manuel, en *San Manuel Bueno y Mártir* (1931), de MIGUEL DE UNAMUNO, expresa la agonía, la lucha por la fe, la imposible posibilidad de creer. PIO BAROJA, en *El cura de Monleón* (1934-37), describe el proceso que lleva a Javier Olarán a la pérdida de la fe. El sacerdote inmerso en el conflicto de la guerra civil también ha despertado interés. JOSE RAMON ARANA, en *El cura de Almunacied* (1950), presenta a un cura rural de actitud abierta y profundamente cristiana. Mientras que Mosén Millán, en *Réquiem por un campesino español* (1953), de RAMON J. SENDER, es el hombre atormentado por su actuación poco evangélica durante la guerra. La novela católica tiene un exponente en *La frontera de Dios* (1956), de JOSE LUIS MARTIN DESCALZO, los curas que en ella aparecen, según palabras del propio autor, "no son la Iglesia, sino simplemente curas que viven, sufren, mueren y resucitan más arriba". Una visión crítica del sacerdote en el mundo contemporáneo aparece en varias obras de la segunda mitad del siglo XX. *Cuando amanece* (1961), de JOSE VIDAL CADELLANS, presenta una auténtica vocación sacerdotal frustrada por su oposición a las estructuras eclesiásticas. *Con las manos vacías* (1964), de ANTONIO FERRES, revela la crisis y conversión de don Pedro, el sacerdote, provocada por la conciencia de culpabilidad, su pecado es de omisión. *La sotana* (1968), de RODRIGO RUBIO, expone la situación de los sacerdotes de posguerra, cómoda y desahogada, a la que don Luis es incapaz de renunciar. *Como ovejas al matadero* (1971), de JOSE LUIS CASTILLO-PUCHE, acomete la desmitificación dramática de la vocación sacerdotal. En *La sotana colgada* (1971), de MANUEL FERRAND, el sacerdote, sincero, reformista, acaba perdiendo la vocación por culpa de una sociedad aparentemente católica. La obra de teatro, *La vieja señorita del Paraíso* (1980), de ANTONIO GALA, escenifica en una historia secundaria la postura del clérigo no dispuesto a abandonar las prebendas conseguidas en la carrera eclesiástica. *Giralda 1* (1982), de ALFONSO GROSSO, narra la peripecia espiritual y amorosa del canónigo de la catedral de Sevilla, Pablo Carvajal y Ximénez de Enciso. La tragedia, el suicidio, es el desenlace propuesto como escapatoria a las redes que el aristócrata canónigo es incapaz de romper. Por último, *La duda inquietante* (1988) de JOSE M.ª GIRONELLA, trata el lento proceso interior que lleva a la secularización.

* * *

Los estudios sobre este tema se refieren, más bien, a las obras contemporáneas: A. BLANCHET, *El sacerdote en la novela de hoy* (1961). J. ORTEGA y F. CARENAS, *La figura del sacerdote en la moderna narrativa española* (1975).

Ver **Anticlericalismo.**

53. SATIRA

La literatura española es rica en composiciones críticas que satirizan personas, hechos y costumbres. El escritor se convierte en censor mordaz de la realidad de su tiempo, fundamentalmente de la actividad política, de los procedimientos que se utilizan para conseguir determinados fines, de los vicios de la sociedad, de la cobardía, ignorancia, mentira, de los usos ridículos o de la mala literatura. Como afirma Larra en De la sátira y los satíricos (1833), "Somos satíricos, porque queremos criticar abusos, porque quisiéramos contribuir con nuestras débiles fuerzas a la perfección posible de la sociedad a la que tenemos la honra de pertenecer".

Las composiciones satíricas en la España medieval son muy abundantes; las *Cantigas de Escarnio* (siglos XII y XIII), parodian el amor cortés pero contienen también críticas de tipo social contra los infanzones, la pequeña nobleza, e incluso contra el clero. JUAN RUIZ, Arcipreste de Hita, en el *Libro de Buen Amor* (1330, 1343), satiriza el orden social establecido, el engaño y la falsedad en las relaciones, la corrupción del dinero que alcanza desde el siervo al Papa, "toda cosa del siglo se faze por su amor". El *Rimado de Palacio* (1378-1385), de PEDRO LOPEZ DE AYALA, ataca mordazmente los vicios de la sociedad, los engaños de mercaderes y letrados, la inmoralidad de la Corte. Las *Danzas de la muerte* (fin siglo XIV, princ. siglo XV) contiene una sátira social de todos los estamentos; ante la muerte se ponen en evidencia los vicios tanto de los personajes eclesiásticos como civiles. El siglo XV representa un período en el que florece la producción satírica recogida en el *Cancionero de Estúñiga* y en el *Cancionero de Baena*. GONZALO MARTINEZ DE MEDINA, en *Decir que fue fecho sobre la Justicia e pleitos e de la gran vanidad deste mundo* (en el *Cancionero de Baena*), ataca violentamente no sólo a los ricos y poderosos, sino también a los representantes de la justicia, abogados procuradores, escribanos y recaudadores.

Las *Coplas de la Panadera* (h. 1446) narra irónicamente la batalla de Olmedo, los nobles sublevados son tratados sardónicamente como cobardes, "con lengua brava y parlera y el corazón de alfeñique". La protesta social de las *Coplas de Mingo Revulgo* (1465), es similar, los nobles son presentados como lobos que se ceban en el rebaño. Las *Coplas del Provincial* (1474-1475) es una violenta sátira sobre la política castellana en la corte de Enrique IV; el autor censura la corrupción moral de los principales personajes que rodean al monarca y al monarca mismo. El Condestable PEDRO DE PORTUGAL escribe *Sátira de Felice e infelice vida* (siglo XV, publ. en *Opúsculos literarios de los siglos XIV a XVI*, 1892). GIL VICENTE, en *Trilogía de las Barcas: Auto da Barca do Inferno* (1517), *Auto da Barca do Purgatorio* (1518) y *Auto da Barca da Gloria* (1519), en portugués las dos primeras, la última en castellano, constituye una sátira general de los vicios y costumbres, especialmente de los clérigos. La novela picaresca, desde el *Lazarillo* hasta la *Vida,* de Torres de Villarroel, es un retrato satírico de la sociedad vista a través de los ojos del pícaro. *El Crotalón* (h. 1553), atribuido a CRISTOBAL VILLALON, es un diálogo satírico entre Pitágoras, en forma de gallo, y el zapatero Micilo, que sirve de pretexto al autor para una sátira anticlerical. El sentimiento de desengaño propio del barroco lleva a los autores a fustigar costumbres y vicios. Las *Letrillas,* compuestas por LUIS DE GONGORA entre 1581 y 1625, son en gran parte satíricas y burlescas, contra la necedad, el poder del dinero, los doctores y mercaderes, doncellas y viudas, privados y curas inmorales entre otros, no sin un toque de amargura. FRANCISCO DE QUEVEDO se constituye en el gran crítico de su época, nada escapa a su acerada pluma; las *Cartas del caballero de la tenaza*, "donde se hallan mucho y saludables consejos para guardar la mosca y gastar la prosa" (escrito en 1600, publ. 1627), es un opúsculo satírico humorístico, de tono desenfadado y cínico. La famosa *Epístola satírica y censoria contra las costumbres presentes de los castellanos* (1625), dirigida al Conde-duque de Olivares, es una crítica de la actuación del valido, al que pide reforme las costumbres españolas. En *Política de Dios, gobierno de Cristo y tiranía de Satanás* (1626), Quevedo, en forma sentenciosa, censura la política de su tiempo y los malos ministros; de contenido ético jurídico llega a afirmar que el monarca, Felipe IV, no es más que un mandatario del pueblo, y como tal ha de comportarse. En *Aguja de navegar cultos* (1629), de intención paródica, se burla del estilo gongorino. *La hora de todos y la Fortuna con seso* (1635, publ. póst. 1650) es una fantasía moral y satírica de la sociedad; Fortuna se queja a Júpiter de la incredulidad de los hombres. No se pueden olvidar las *Letrillas* satíricas y poemas burlescos en los que, utilizando los recursos del idioma, juega con las palabras para arremeter contra los más diversos sujetos: los médicos, los soldados, los jueces, los boticarios, las dueñas, los cornudos, el amor, el dinero, la fortuna, la nariz, el casamiento, la calvicie o los mosquitos... LUIS QUIÑONES DE BENAVENTE expresa en el mismo título, *Joco seria, Burlas veras o reprensión moral y festiva de los desórdenes públicos* (1645), sus intenciones satíricas. FRANCISCO TRILLO Y FIGUEROA, en *Poesías varias, heroicas, satíricas y amorosas* (1652), ataca de forma hiriente las costumbres de su época. La aguda conciencia de decadencia y el deseo de renovación lleva a muchos ilustrados del siglo XVIII a utilizar la sátira como modo de denuncia. DIEGO DE TORRES VILLA-

RROEL, en *La barca de Aqueronte* (h. 1731), se sirve de la fantasía para satirizar la sociedad; el mundo universitario y la nobleza son los objetos principales de su crítica, tanto es así, que los capítulos que se referían a ellos fueron excluidos de la edición príncipe de 1743. Gran parte del *Teatro crítico* (1726-1739) y las *Cartas eruditas y curiosas* (1741-1760), de Fray BENITO JERONIMO DE FEIJOO, son un alegato contra la superchería e ignorancia de su tiempo. El *Diario de los literatos de España* (1742), de JORGE PITILLAS, seudónimo de JOSE GERARDO HERVAS, no es sino una sátira contra los malos escritores de este siglo. En la línea de aparente consideración de la política, pero conteniendo un juicio valorativo al que no es ajeno la sátira, están las letrillas de EUGENIO GERARDO LOBO, *Exhortación político-cristiana a la nación española* e *Irónicas instrucciones para ser soldado* (h. 1718). La *Historia del famoso predicador fray Gerundio de Campazas alias Zotes* (1758), del padre JOSE FRANCISCO ISLA, es una sátira burlesca contra la predicación vana y huera al uso. JOSE CADALSO desaprueba en *Los eruditos a la violeta* (1772), la fingida ciencia y los conocimientos superficiales; haciendo una mordaz burla de los nuevos y falsos sabios, que no poseen más que un ligero barniz cultural. En *Cartas marruecas* (póst., 1789), reproduce irónicamente la vanidad de una sociedad ocupada, o más bien desocupada, en lujos y fruslerías, ajena al progreso, a las ciencias útiles, a las artes prácticas, que desprecia el saber verdadero y prefiere, cuando no la ignorancia, la erudición fingida. Las *Fábulas literarias* (1782), de TOMAS DE IRIARTE, contienen una intención satírica y moralizante contra los autores que no siguen las reglas neoclásicas. La crítica ilustrada también se ocupa del afrancesamiento lingüístico, JUAN PABLO FORNER escribe en su juventud *Sátira contra los abusos introducidos en la poesía castellana* (premiado por la Real Academia en 1782), e intercala en *Exequias de la lengua castellana* (1782) un poema satírico "contra la literatura chapucera de estos tiempos". Las dos epístolas *A Arnesto*, "Contra las malas costumbres de las mujeres nobles" (1786) y "Sobre la mala educación de la nobleza" (1787), son un documento inestimable del juicio certero de GASPAR MELCHOR DE JOVELLANOS, sobre todo la segunda, contra la nobleza hereditaria, "¿Es esto un noble, Arnesto?", que constituye uno de los principales objetos de su sátira político-social. Algunos de los *Sainetes* (1786-1791), de RAMON DE LA CRUZ, no se sustraen a la corriente satírica, así, en *Las tertulias de Madrid* parodia la moda de los salones en el Madrid afrancesado; en *Las vísperas de San Pedro* ridiculiza, incluso, el afán de ennoblecimiento de la clase ascendente "¿Que no sabes cuánto engorda un trozo de pan negro comido debajo del árbol genealógico?" *La derrota de los pedantes* (1789), de LEANDRO FERNANDEZ DE MORATIN, es una sátira literaria contra los pedantes y poetastros que intentan arrojar del palacio de las Musas a los buenos poetas; en *La comedia nueva o el café* (1792), Moratín pone en ridículo los vicios y errores de la sociedad. Fray JUAN FERNANDEZ DE ROJAS compone un auténtico documento social, *Libro de moda o ensayo de la historia de los currutacos, pirracas y madamitas del nuevo cuño* (1795), cuadro satírico de la juventud de la época. La sátira dieciochesca encontró en la prensa uno de sus cauces privilegiados, especialmente en los semanarios *Crítico duende* (1735 y 1736) y *El Censor* (1781-1786), que atacan con aguda ironía los vicios y abusos. Los *Lamentos del pobrecito holgazán que estaba acostumbrado a vivir a costa ajena* (1820), consta de diez cartas de SEBASTIAN MIÑANO BEDOYA, en las que hace una crítica y sátira mordaz del Antiguo Régimen, que tuvieron gran éxito entre 1820 y 1823 por sus ideas constitucionales. En el período romántico, todos los *Artículos* (1832-1837), de MARIANO JOSE DE LARRA, cualquiera que sea su tema, político, filosófico, literario o de costumbres, son una sáti-

205

ra de los males sociales del país; la ociosidad, la hipocresía, la ignorancia, la vanidad, la mala educación y grosería, los espectáculos, la opresión policial, la superstición, el fanatismo, la falta de libertad o la mala política; en último término, el oscurantismo de una sociedad de espaldas al progreso pasan por su mirada crítica. En el Realismo, *La Regenta* (1884) de LEOPOLDO ALAS, *CLARIN*, es alabada precisamente por Galdós por la "vena satírica, aquella gracia divina de Quevedo con que persigue los lugares comunes de la conversación, de la literatura y del periodismo". Los noventayochistas, como ANGEL GANIVET, se sirven de Pío Cid, que intenta civilizar a los Mayas en *La conquista del reino Maya* (1897), para ridiculizar el estado de la política y de la sociedad española. La creación del esperpento permite a RAMON DEL VALLE IN-CLAN acusar con mordacidad corrosiva diversos aspectos de la realidad; en *Farsa y licencia de la reina castiza* (1920) de la trilogía *Tablado de marionetas para la educación de príncipes* realiza una sátira política y moral de la España isabelina, de la situación política que precede a la Restauración; en *Luces de bohemia* (1920), como explica el propio Max Estrella, la España de Alfonso XIII no es sino "una deformación de la civilización europea"; en *La hija del capitán* (1927, no se pudo publicar hasta 1930), es una denuncia esperpéntica de la dictadura de Primo de Rivera. Los escritores contemporáneos han optado, en general, por otros modos de expresión diferentes a la sátira para expresar el inconformismo o la denuncia de la realidad presente, como puede ser la novela, el teatro o la poesía social, pero se podría reseñar la sátira antidictatorial, *Los cinco libros de Ariadna* (1957), de RAMON J. SENDER; las de un país visitado por turistas (con nombre de animales), *Los mendigos* (1957), de JOSE RUIBAL; la de los convencionalismos de la vida provinciana, *Las viejas difíciles* (1967), de CARLOS MUÑIZ; la burla y denuncia del consumismo y convencionalismos sociales,

206

Odio, celo y pasión de Jacinto Delicado (1970), de ANGEL GARCIA PINTADO.

* * *

El período que más ha interesado a los estudiosos ha sido el medieval, se pueden encontrar algunas recopilaciones: E. RINCON, *Coplas satíricas y dramáticas de la Edad Media* (1968). J. RODRIGUEZ-PUERTOLAS, *Poesía de protesta en la Edad Media castellana* (1968). J. A. BELLON y A. JAURAL, *Cancionero de obras de burlas provocantes a risas* (1974). Y el estudio de K. R. SCHOLBERG, *Sátira e invectiva en la España medieval* (1971).

Ver **Humor.**

54. SOCIEDAD

El estudio literario de la sociedad española, reseñado según los distintos estamentos, aristocracia, burguesía y pueblo, quedaría incompleto si no se consideraran algunas de las obras que recogen en su conjunto todo el espectro social y las interrelaciones entre los distintos grupos, y que no han sido anteriormente citadas.

Don JUAN MANUEL, en el *Libro de los estados* (h. 1330), se queja de que ya nada es tan fijo y estable en la sociedad como en los viejos tiempos. ENRIQUE DE VILLENA, en *Los doce trabajos de Hércules* (1417), aplica las doce aventuras mitológicas a los doce estados que, según él, se dan en la sociedad: príncipe, prelado, caballero, religioso, ciudadano, mercader, labrador, menestral, maestro, discípulo, solitario y mujer. FERRANT SANCHEZ DE CALAVERA, en *Pregunta que fizo...* (h. 1435), y Fray DIEGO DE VALENCIA, en *Este decir como a manera de pregunta fizo a Gonzalo López de Guayanes, pidiéndolo que le declarase por qué son los fidalgos* (siglo XV), ambas en el *Cancionero de Baena*, requieren una explicación que justifique las diferencias sociales, la preeminencia de unos sobre otros, ya que "todos salimos de una raíz". Las *Coplas contra los pecados mortales* (med. siglo XV), la *Danza de la muerte* (fin. siglo XIV- princ. siglo XV), y las *Coplas a la muerte de su padre* (2.ª mitad siglo XV), de JORGE MANRIQUE, coinciden, como tantos otros poemas medievales, en el papel igualador de la muerte; reyes, duques, señores, sabios... "tú los fazes ser iguales con los simples labradores". El *Cancionero de obras de burla* (siglo XV), compone un cuadro burlesco de la sociedad medieval, una sátira de los vicios, personajes y situaciones de su tiempo. MIGUEL DE CARVAJAL, en la obra de teatro *Las Cortes de la Muerte* (h. 1550), insiste en las desigualdades sociales creadas por el linaje y el dinero. MIGUEL DE CERVANTES, en *El Quijote* (1605-1615), hace aparecer los diferentes grupos que conforman la España de fines del XVI; en algunas de las *Novelas Ejemplares*, como *El coloquio de los perros* (1613), critica a la sociedad española. Los *Sueños y discursos de verdades descubridoras de abusos y vicios* (1627), de FRANCISCO DE QUEVEDO, ofrecen una visión satírica de la sociedad. El costumbrismo de RAMON MESONERO ROMANOS capta en algunos momentos, *El amor de la lumbre, o el brasero* (1841) y *Contrastes* (1845), la sociedad cambiante de mediados de siglo. WENCESLAO AYGUALS DE YZCO contrapone la opulencia de la aristocracia con la miseria y sordidez del pueblo en *María, o la hija de un jornalero* (1845-1846) y *Pobres y ricos, o la Bruja de Madrid* (1849-1850). BENITO PEREZ GALDOS plasma en todas sus obras la sociedad española del siglo XIX, especialmente en la serie "Novelas españolas contemporáneas": *La Desheredada* (1881), *El amigo Manso* (1882), *El doctor Centeno* (1883), *La de Bringas* (1884), *Tormento* (1884), *Lo Prohibido* (1885), *Fortunata y Jacinta* (1886-87), *Miau* (1888), *La Incógnita* (1889), *Tristana* (1892) y el ciclo del usurero *Torquemada* (1889-95). EDUARDO ZAMACOIS, en *La opinión ajena* (1913) y *El delito de todos* (1933), realiza una aguda crítica social. La novela *Lo rojo y lo azul* (1932) de BENJAMIN JARNES, ambientada en Barcelona y Zaragoza, trata de las diferencias de las clases sociales y del fracaso de Julio ante los problemas sociales y políticos de España. CAMILO JOSE CELA hace desfilar en *La Colmena* (1951), todo tipo de personajes en los difíciles años de la posguerra. *Central eléctrica* (1956), de JESUS LOPEZ PACHECO, enfrenta la sociedad preindustrial con las estructuras del capitalismo industrial.

209

LUIS MARTIN SANTOS en *Tiempo de silencio* (1962) presenta un amplio espectro crítico de la sociedad: alta burguesía, burguesía media liberal, clase media venida a menos, baja, y el lumpen proletario.

* * *

Las antologías siguientes pueden proporcionar textos importantes, además de una interesante introducción: *Poesía de protesta en la Edad Media castellana* (1968) a cargo de JULIO RODRIGUEZ-PUERTOLAS. *La poesía española contemporánea (1939-64). Poesía social* (1965-1969), sel., pról. y notas de LEOPOLDO DE LUIS.

Las obras que a continuación se citan pueden referirse igualmente a los distintos grupos sociales.

Estudios de índole general: G. SOBEJANO, *Forma y sensibilidad social* (1967). V. LLORENS, *Literatura, historia, política* (1967) y *Aspectos sociales de la literatura española* (1974). J. CAMPOS, *Teatro y sociedad en España* (1969). G. GOMEZ DE LA SERNA, *Ensayos sobre literatura social* (1971). C. PEREZ GALLEGO, *Literatura y contexto social* (1975). C. BLANCO AGUINAGA, J. RODRIGUEZ PUERTOLAS, e I. M. ZAVALA, *Historia social de la literatura española*, tomos I, II y III (1978). E. CROSS, *Literatura, ideología y sociedad* (1986).

Estudios sobre obras y autores. Edad Media: D. ALONSO, "Pobres y ricos en los libros de 'Buen Amor' y 'Miseria de Omne", en *De los siglos oscuros al de Oro* (1958). L. DE STEFANO, *La sociedad estamental de la Baja Edad Media española a la luz de la literatura de la época* (1966). J. A. MARAVALL, "La sociedad estamental castellana y la obra de don Juan Manuel" en *Estudios de historia del pensamiento español* (1967); *El mundo social de la Celestina* (1972). J. RODRIGUEZ-PUERTOLAS, *De la Edad Media a la edad conflictiva* (1972).

Siglo de Oro: R. DEL ARCO Y GARAY, *La sociedad española en la obra de Cervantes* (1951). L. OSTERC, *El pensamiento social y político del Quijote* (1963). J. A. MA-

RAVALL, *Teatro y Literatura en la sociedad barroca* (1972); *La cultura del Barroco. Análisis de una estructura histórica* (1975). J. M. DIEZ BORQUE, *Sociología de la comedia española del siglo XVII* (1976). J. SALAZAR RINCON, *El mundo social del Quijote* (1986).

Siglo XVIII: A. PAPELL, *Moratín y la sociedad española de su tiempo* (1961). R. ANDIOC, *Teatro y sociedad en el Madrid del siglo XVIII* (1976).

Siglo XIX: F. J. DE LARRA, *La sociedad española a través del teatro del siglo XIX* (1947). J. L. ARANGUREN, *Moral y sociedad. Introducción a la moral social española del siglo XIX* (1962). G. SOBEJANO, *Forma literaria y sensibilidad social* (1967). F. SOPEÑA IBAÑEZ, *Arte y sociedad en Galdós* (1970). C. E. LIDA e I. M. ZAVALA, *La revolución de 1868. Historia, pensamiento y literatura* (1970). C. ALONSO, *Literatura y poder, 1835-1868* (1971). I. M. ZAVALA, *Ideología y política en la novela española del siglo XIX* (1971) y *Románticos y socialistas* (1972). P. FAUS SEVILLA, *La sociedad española del siglo XIX en la obra de Pérez Galdós* (1972). S. C. SECO, *Sociedad, literatura y política en la España del siglo XIX* (1973). J. I. FERRERAS, *Introducción a una sociedad de la novela española. Siglo XIX* (1973). J. RODRIGUEZ-PUERTOLAS, *Galdós: burguesía y revolución* (1975). J. F. MONTESINOS, *Costumbrismo y novela* (1983).

Generación del 98: R. PEREZ DE LA DEHESA, *Política y sociedad en el primer Unamuno, 1894-1904* (1966). J. A. GOMEZ MARIN, *La idea de sociedad en Valle-Inclán* (1967). J. L. ABELLAN, *Sociología del 98* (1973). C. DEL MORAL RUIZ, *La sociedad madrileña fin de siglo y Baroja* (1974). J. MONLEON, *El teatro del 98 frente a la sociedad española* (1975).

Siglo XX: F. GARCIA PAVON, *Teatro social en España (1895-1962)* (1962). E. G. RICO, *Literatura y política (en torno al realismo español)* (1971). P. GIL CASADO, *La novela social en España 1920-1971* (1973). J. G. MANRIQUE DE LARA, *Poetas sociales españoles* (1974). J. ESTEBAN y G. SANTONJA, *Los novelistas sociales españo-*

les (1928-36) (1977). S. SANZ VILLANUEVA, *Historia de la novela social española (1942-75)* (1980).

Ver **Aristocracia, burguesía, emigración, pícaro, pueblo, sátira.**

55. SOLTERA

El tema de la soltería, o de la soltera como figura central, no aparece reflejado en la literatura hasta el siglo XX. Anteriormente se contempla como una situación marginal previa a la toma de estado, no como orientación definitiva en la vida. Ya María de Zayas en Novelas ejemplares y amorosas *(1635, 1647) dice de Violante "aborrecía el casarse, temerosa de perder la libertad de que entonces gozaba". Pero la tía María de* La Gaviota *(1849), de Cecilia Bohl de Faber, afirma: "La mujer, hija mía, o es de Dios o del hombre". Sólo en pocas ocasiones y sin protagonismo se indica la presencia de la soltera, solterona, en las novelas del siglo XIX, así las tías de Ana Ozores, en* La Regenta *(1884) de Leopoldo Alas Clarín.*

Protagonista de la novela de MIGUEL DE UNAMUNO *La tía Tula* (1921) es Gertrudis, soltera, decidida a mantenerse en esa situación. La conciencia de su femineidad le lleva a despreciar al hombre. Pero la mayoría de las obras muestran la dolorosa precariedad e insatisfacción en que vive la soltera. FEDERICO GARCIA LORCA, en *Doña Rosita la soltera, o el lenguaje de las flores* (1936), presenta a Rosita dejando consumir sus mejores años en la espera del novio que marcha a América, y en *La casa de Bernarda Alba* (1936) denuncia la imposición de la madre que mantiene a las hijas en una soltería no querida ni aceptada. Mientras Rosita es solterona para los demás, pero no para sí misma, M.ª Josefa y Adela se rebelan con la locura y el suicidio contra un estado que aborrecen. En clave de humor trata el tema VICTOR RUIZ IRIARTE en la come-

dia *La soltera rebelde* (1952); y de forma dramática AN-
TONIO BUERO VALLEJO, en *Las cartas boca abajo*
(1958), mantiene la presencia de la soltera que no per-
donará nunca a su hermana que le quitara el novio;
le hará pagar con el mutismo el abandono sufrido. La
obra de teatro de LAURO OLMO, *La señorita Elvira*
(1963), presenta con una leve melancolía la historia
de una solterona. Sin hacerla protagonista del relato,
ROSA CHACEL propondrá un nuevo tipo de soltería,
la de la madre soltera, en una sociedad que reprueba
su situación, en *Barrio de maravillas* (1976). La *Crónica
del desamor* (1979), de ROSA MONTERO, plantea también, pero desde una sociedad permisiva, la problemática de la soltera madre, la mujer liberada, no ligada
a nadie, las Anas que, en último término, son las protagonistas del desamor. ANTONIO GALA, en *La vieja señorita del Paraíso* (1980), vuelve en su obra de teatro a
la soltera sin perspectivas de matrimonio, a la mujer
Adelaida que espera siempre el retorno del hombre
en un resignado abandono. En la novela de RAMON
HERNANDEZ *Sola en el paraíso* (1987), Paulina Mora,
vieja solterona, deja pasar su vida, asfixiada, en la sociedad tradicional e inmovilista de Cuenca.

56. SUICIDIO

La incapacidad de hacer frente a la vida, la angustia o la desesperación, el deseo de escapar a una situación límite, la locura, ha llevado a los personajes literarios a quitarse la vida.

Así, JUAN RODRIGUEZ DEL PADRON, en la novelita *Historia de los dos amadores*, intercalada en *El siervo libre de amor* (h. 1430), plantea la solución del suicidio como medio de evitar el acoso de la sociedad que rechaza la pasión de los amantes. Leriano, el amante prisionero en la alegórica *Cárcel de amor* (1492), de DIEGO DE SAN PEDRO, se deja morir de hambre ante la frialdad de Laureola. En *Grimalte y Gradissa* (h. 1495), novela sentimental de JUAN DE FLORES, Fiametta se suicida ante la indiferencia de Pánfilo. Melibea, desesperada por la muerte de Calisto, en la *Tragicomedia de Calisto y Melibea* (1499?-1500), de FERNANDO DE ROJAS, se tira de la torre por la que ha caído su amante. JUAN DEL ENCINA presenta en la *Egloga de Fileno, Zambardo y Cardonio*, al pastor Fileno, que desdeñado por la pastora Cefira, se quita violentamente la vida con un cuchillo, maldiciendo a la amada, y al amor que le ha conducido a tal extremo. Posteriormente, en 1513, el mismo autor, en la *Egloga de Plácido y Victoriano*, vuelve a plantear el suicidio de la desesperada Plácida y del otrora indiferente Victoriano, pero el desenlace queda resuelto con la intervención de Venus que detiene la mano del joven, y de Mercurio que resucita a Plácida. GABRIEL LOBO LASSO DE LA VEGA recoge el tema de Dido, en *La honra de Dido, restaurada*

(1559), en el que la reina se clava un puñal y se arroja a las llamas para huir del rey africano que la pretende. En el Romanticismo, la concatenación de terribles acontecimientos lleva a don Alvaro, *Don Alvaro o la fuerza del sino* (1835) del DUQUE DE RIVAS, a precipitarse desde una roca. En *El Trovador* (1836), de ANTONIO GARCIA GUTIERREZ, Leonor, enamorada del trovador Manrique, se suicida cuando el conde de Luna condena a muerte a su amado. Esperanza, hija de padres desconocidos, *La hija del mar* (1859), de ROSALIA DE CASTRO, acaba con su vida en el mar. En 1880, PEDRO ANTONIO DE ALARCON en *La Pródiga* (1880) hará que Julia se arroje a una acequia al percibir el hastío de su joven amante, y así evitar el escándalo. De la desgraciada Esclavitud, hija bastarda y amante abandonada de *Morriña* (1889), nos dice su autora, EMILIA PARDO BAZAN, que "cree" que se va a quitar la vida, dejando al lector abierta la salida. No sólo las penas de amor conducen al suicidio. Don Ramón de Villaamil, el protagonista de *Miau* (1888), de BENITO PEREZ GALDOS, quiere poner fin a los problemas que le plantea la existencia, "retumbó el disparo en la soledad de aquel abandonado y tenebroso lugar". Rafaela, en *Genio y figura* (1897), de JUAN VALERA, se suicida cansada de una vida de aventuras, que la ha encumbrado pero la ha dejado vacía. Los remordimientos son los que llevan a Tonet, en *Cañas y barro* (1902), de VICENTE BLASCO IBAÑEZ, a pegarse un tiro. Los amores incestuosos de Bradomín, en *Sonata de Invierno* (1905) de RAMON DEL VALLE INCLAN, precipitan el suicidio de la muchacha. MIGUEL DE UNAMUNO aborda esta temática en dos de sus obras: en *Amor y pedagogía* (1902), Apolodoro, el hijo de Avito Carrascal, acaba suicidándose víctima de una desilusión amorosa. En *El otro* (1926), el drama de ser uno mismo arrastra al superviviente, al otro, al suicidio. Pero Unamuno, sin embargo, no permite en *Niebla* (1914) a Augusto Pérez la autodestrucción. La angustia vital será la

216

que decida a Andrés Hurtado a ingerir aconitina, en *El árbol de la ciencia* (1911), de **PIO BAROJA**. Lucía, *La mujer de ámbar* (1927), de **RAMON GOMEZ DE LA SERNA**, se tira por el balcón cuando se está vistiendo de novia, para poner fin a sus propios enredos. *Luis Alvarez Patraña* (1934), de **MAX AUB**, escritor fracasado, se suicida, víctima de su personalidad torturada. A Susana, miembro de una organización clandestina de *La cárcel* (1946-48), del mismo autor, la única solución que se le propone y acepta es la del suicidio. La evasión y la rebelión contra el universo creado por Bernarda llevará a Adela a quitarse la vida en *La casa de Bernarda Alba* (1936), de **FEDERICO GARCIA LORCA**. **ALEJANDRO CASONA**, en *Prohibido suicidarse en primavera* (1937), plantea la réplica a los presuntos suicidas: la ilusión de vivir. Escapar por la muerte no resuelve nada, asumir la realidad es lo que salva. **CAMILO JOSE CELA** en *La Colmena* (1951), inserta en el capítulo V la historia del pobre que se suicida porque huele a cebolla; del mundo de miseria de la posguerra sólo puede escapar lanzándose por la ventana. La angustia por la pérdida del hijo lleva a Cecilio Rubes en *Mi idolatrado hijo Sisí* (1953), de **MIGUEL DELIBES**, a arrojarse por la ventana. El mismo año Delibes publica otra novela-carta, *El loco*, en la que Robinet, dominado por un ansia de inmortalidad, termina suicidándose. El protagonista de *La gota de mercurio* (1954), de **ALEJANDRO NUÑEZ ALONSO**, Pablo Cossío, planea su suicidio impelido por su fracaso artístico y amoroso, pero fundamentalmente por el absurdo de la vida, aunque la intervención de los amigos impedirá que se consume. En *Ritmo lento* (1963), de **CARMEN MARTIN GAITE**, el suicidio del padre es una forma de autocastigo. **JUAN MARSE**, en *La oscura historia de la prima Montse* (1970), muestra la intolerancia e incomprensión de una sociedad que no deja a Montse sino el recurso de tirarse por un puente. También como medio de poner fin a una situación sin salida, Pablo Carvajal y Ximénez de Enciso, protagonista de *Giralda 1* (1982), de ALFONSO GROSSO, se lanzará desde la torre de la Giralda en un intento desesperado de recuperar su dignidad.

57. TIEMPO

El paso del tiempo es una de las grandes preocupaciones del hombre, recogida por los poetas desde siempre. El tiempo es fugaz, la vida breve. Los días y las horas pasan sin poder detenerlas. La rosa que se marchita es seguramente la imagen más querida por los poetas para expresar la angustia del ser humano ante su destino.

FERRANT SANCHEZ CALAVERA en las honras fúnebres *En la muerte de Ruy Díaz de Mendoza* (1.ª mitad siglo XV) *Cancionero de Baena* (1851), exclama "cuando pensamos vivir, entonces morimos". De modo similar se expresa JORGE MANRIQUE en las *Coplas a la muerte de su padre* (2.ª mitad siglo XV), lo presente "en un punto se es ido y acabado". GARCILASO DE LA VEGA se duele en los *Sonetos* (póst., 1543) de que "todo lo mudará la edad ligera". Los días están royendo los años, según LUIS DE GONGORA, en los *Sonetos* (1582-1625), e invita a gozar mientras hay tiempo, recogiendo el tópico del carpem diem. RODRIGO CARO, en la *Canción a las ruinas de Itálica* (1.ª mitad siglo XVII) no puede menos de sentir la destrucción que trae el tiempo, "todo desapareció". FRANCISCO DE QUEVEDO, en los *Sonetos* (1.ª mitad siglo XVII), hace una larga reflexión sobre el tiempo que huye y se escapa, "hoy pasa", "ayer se fue", el hoy, el mañana, el ayer se confunden, tal es su brevedad. Los *Sonetos* (1.ª mitad siglo XVII), de FRANCISCO LOPEZ DE ZARATE, revelan que la vida no admite esperanza por lo breve, "se muere con haber nacido". Lo mismo afirma FRANCISCO DE RIOJA en sus *Sonetos* (1.ª mitad siglo XVII), la vida es "un breve y veloz vuelo". La *Epístola moral a Fabio* (poco antes de 1613), de ANDRES FERNANDEZ DE ANDRADE, insiste en que la vida no es más que un breve día "¿qué más que el heno, a la mañana verde, seco a la tarde?". AGUSTIN DE SALAZAR Y TORRES, en *Cythara de Apolo* (póst., 1694), celebra la brevedad de la vida de la rosa, "¿para qué más edad?" mejor, dice, el tiempo corto, para evitar el desengaño. Las *Poesías* (póst., 1820), de JUAN MELENDEZ VALDES remiten al mismo tópico barroco de la fugacidad de la vida y del amor. GUSTAVO ADOLFO BECQUER, en las *Rimas* (1859-1868, publ. póst. 1871) siente que "los días, los años volarán". ROSALIA DE CASTRO, *En las orillas del Sar* (1884), manifiesta dolorida "como torrente que se despeña pasa la vida", no merece la pena luchar si es inevitable que transcurra el tiempo. RAMON DEL VALLE INCLAN afirma en *La lámpara maravillosa* (1916) "Cuando se rompen las normas del Tiempo, el instante más pequeño se rasga como un vientre preñado de eternidad". La vida del hombre para ANTONIO MACHADO, en *Soledades* (1903), *Campos de Castilla* (1912) y *Nuevas Canciones* (1924), es tiempo que discurre fugaz, tránsito inaprehensible "ayer es nunca jamás", pero también es esperanza perdurable "hoy es siempre todavía". En el *Cancionero* (1928-1936), de MIGUEL DE UNAMUNO, publicado póstumamente, se expresa la angustia de la vida que pasa y del tiempo que se escapa. LUIS CERNUDA, en *Perfil del aire* (1927), considera que el tiempo es una tragedia porque es invencible. PEDRO GARFIAS, en *Primavera en Eaton Hastings* (1941), se siente en el exilio fuera del tiempo. ILDEFONSO MANUEL GIL quiere asirse al presente en *El tiempo recobrado* (1950). JUAN RAMON JIMENEZ en el bellísimo poema "El viaje definitivo" de la *Tercera antolojía poética* (1957) contempla la permanencia de la naturaleza frente a la desaparición del hombre, "y yo me iré... y se quedarán". CARLOS BOUSOÑO, en *Noche del sentido* (1957) observa que "era la vida un soplo", y en *Invasión de la realidad* (1962) apuesta por la existencia frente a la evidencia de que "todo se va". En la *Elegía de Medina Azahara* (1957) RICARDO MOLINA piensa que la muerte, "pájaro del tiempo", sólo deja el recuerdo a su paso. En *Clamor... que van a dar en la mar* (1960), JORGE GUILLEN medita sobre el tiempo, el pasado irrecuperable y la voluntad de seguir hacia el futuro, siente que se le escapa la vida. CARMEN CONDE, en *En un mundo de fugitivos* (1960), ve cómo inexorablemente "una se va gastando, cada día, en la vida". ANGEL GONZALEZ, en *Sin esperanza, con convencimiento* (1961), patentiza la obsesión por el paso del tiempo. En *Luz del tiempo* (1962) JOSE LUIS CANO confiesa que lentamente se escapa la vida del hombre, y se pregunta si él será eterno como la ola o el viento. JOSE HIERRO en *Libro de las alucinaciones* (1964) siente el tiempo pasar y perderse, como J.R.J., "tan sólo por fuera de mí se detiene". VICENTE GAOS, en *Concierto en mí y en vosotros* (1965), invita a apurar el tiempo mientras llega la muerte. JUAN RUIZ PEÑA, en *Maduro para el sueño* (1970), piensa en el fugaz tránsito humano, "como la hierba somos". Para FRANCISCO BRINES, en *Aún no* (1971), la esperanza reside en vivir "cuando aún yo soy la vida". GABRIEL CELAYA, en *Buenos días, buenas noches* (1976), se aferra al hoy como momento perpetuo. ANGEL GARCIA LOPEZ, en *Medio siglo, cien años* (1988), concluye "El, hace tiempo, se encontró sin tiempo".

La novela contemporánea recoge otro aspecto, el tiempo no se puede detener, pero se puede recordar. El hombre necesita el pasado para comprender el presente. Miguel de Unamuno en *San Manuel Bueno y Mártir* (1931) recupera a través de los recuerdos de Angela Carballino la vida don Manuel. RAMON J. SENDER, en *Réquiem por un campesino español* (1953), rehace la vida y muerte de Paco el del Molino por medio del recuerdo de Mosén Millán. Tanto Angela como Mosén Millán rememoran para entender. Al hombre le urge también acudir a su propio pasado para explicarse a sí mismo, para saber el porqué de su yo hoy; la memoria rescata aquellos datos que ayudan a esa inteligencia. JUAN GOYTISOLO en *Señas de identidad* (1960) busca a través del tiempo la imagen del padre que no conoció. GONZALO TORRENTE BALLESTER, en *Don Juan* (1963), muestra la relatividad del tiempo. JAIME SALOM representa en *El baúl de los disfraces* (1964), "ese lento e implacable transcurrir del tiempo". CARMEN MARTIN GAITE, en *El cuarto de atrás* (1978), mira como en un caleidoscopio los cincuenta años transcurridos. Por último JORGE SEMPRUN en *El largo viaje* (1981) recupera el tiempo doloroso de la marcha al campo de concentración.

* * *

Con referencia al aspecto temporal en la poesía se puede consultar: L. F. VIVANCO, "Jorge Guillén, poeta del tiempo", en *Introducción a la poesía española contemporánea* (1957). B. DE PABLOS, *El tiempo en la poesía de J.R.J.* (1965). J. O. JIMENEZ, *Cinco poetas del tiempo: Vicente Aleixandre, Luis Cernuda, José Hierro, Carlos Bousoño, Francisco Brines*. Sobre la novela contemporánea: D. VILLANUEVA, *Estructura y tiempo reducido en la novela* (1977).

58. TOROS

La fiesta de toros es tan antigua en España que Nicolás Fernández de Moratín en unas quintanillas canta al Cid entrando a torear en Madrid: "No hubo mejor caballero, / dicen, en el mundo entero; / y algunos le llaman Cid / (...) alza el galope, y al toro / busca en sonoro tropel". Pero, independientemente de esta licencia histórica, la tauromaquia ha sido un tema que ha atraído a los escritores y que se encuentra reflejado en todos los géneros literarios, ensayo, teatro, novela y poesía. La polémica a favor y en contra queda plasmada en la mayoría de las obras. Se censura y aplaude con idéntico fervor. Para Bergamín lo principal es entender el toreo, en el que "todo es verdad y todo es mentira". Para Larra es una prueba de "barbarie y ferocidad".

Durante el reinado de Felipe III y, sobre todo, de Felipe IV (1621-1665), fueron innumerables las corridas. LOPE DE VEGA, en *El ingrato arrepentido* (1621), canta al toro, su raza, su ansia de morir. GABRIEL BOCANGEL Y UNZUETA escribe *La fiesta real y votiva de toros, que a honor de San Juan Bautista, celebró Madrid, a 6 de Julio de 1648*. PEDRO CALDERON DE LA BARCA dedica una obra a *El toreador nuevo, cuento*. FRANCISCO SANTOS, en *Día y noche de Madrid* (1663), destina un capítulo a describir muy vivamente una fiesta de toros. En el siglo XVIII, la mayoría de los ilustrados están en contra de la fiesta por los perjuicios económicos que ocasiona, además de ser un reflejo de la mala educación del país, así la critican el P. Sarmiento, Feijoo, Clavijo, Iriarte, Meléndez Valdés y el mismo Carlos III la proscribe en 1785. JOSE VARGAS PONCE redacta *Disertación sobre las corridas de toros*. NICOLAS FERNANDEZ DE MORATIN, en *La fiesta de toros en Madrid* (1777), dedica una "Oda a Pedro Romero torero" y en 1776 escribe *Carta histórica sobre el origen y progreso de la fiesta de toros*. JOSE CADALSO, antitaurino, ironiza en las *Cartas Marruecas* (póst., 1789) sobre "lo que ellos llaman fiesta o corrida de toros", y que los extranjeros llaman "bárbara". GASPAR MELCHOR DE JOVELLANOS reprueba la fiesta en *Espectáculos y diversiones públicas* (escrito en 1790, publicado en 1812). Los autores del siglo XIX centran su atención en la figura del torero, excepto MARIANO JOSE DE LARRA, que zahiere la fiesta en el artículo "Corrida de toros" de *El duende satírico del día* (1828), y RAMON MESONERO ROMANOS, que habla de ella en sus descripciones costumbristas de *El antiguo Madrid* (1881). En las novelas de FERNAN CABALLERO, *La Gaviota* (1849); MANUEL FERNANDEZ Y GONZALEZ, *La gloria del toreo* (2.ª mitad siglo XIX); JULIO NOMBELA, *Pepe Hillo memorias de la España de pan y toros* (1870); BENITO PEREZ GALDOS, *La familia de León Roch* (1878), y *Los Apostólicos* (1879); LUIS COLOMA, *Pilatillo* (1884-87); ARMANDO PALACIO VALDES, *Riverita* (1886), es la peripecia humana del torero lo que interesa y, en ocasiones, el trágico final de la cogida y muerte, como Pepe Vera, el amante de Marisalada, La Gaviota. El siglo XX, desde sus inicios, consagra al torero y a la fiesta de toros muchas páginas. En 1906, MANUEL MACHADO escribe "La fiesta nacional" en *Cante jondo*, dando una visión del espectáculo: "oro, seda, sangre y sol". La novela de VICENTE BLASCO IBAÑEZ, *Sangre y arena* (1908), gira en torno a Juan Gallardo, que después de un gran éxito acaba encontrando la muerte en la Plaza de Madrid, lidiando a un animal manso y traicionero. AZORIN describe la corrida de toros en "Los toros" de *Castilla* (1912). En las *Memorias de un hombre de acción* (1913), PIO BAROJA presenta al torero en "El capitán mala sombra". ANTONIO HOYOS Y VINENT, tiene dos obras sobre la tauromaquia: *Oro, seda, sangre y sol* (1914) y *Hoy torea Belmonte* (1916). FERNANDO VILLALON publica el libro de poemas *La toriada* (1918). RAMON PEREZ DE AYALA escribe el ensayo *Política y toros* (1918). ALEJANDRO PEREZ LUGIN, en la novelita *Currito de la Cruz* (1921), presenta al expósito Currito que triunfa en el mundo de la torería en Sevilla y Madrid. RAMON GOMEZ DE LA SERNA, en *El torero Caracho* (1927), muestra al muchacho de barrio que por vocación se hace torero y encuentra la muerte en su última corrida. El ensayo vuelve con ERNESTO GIMENEZ CABALLERO, *Los toros, las castañuelas y la Virgen* (1927) y con JOSE BERGAMIN, *El arte de birlibirloque* (1930), en el que plantea en qué consiste el verdadero arte de torear, y *La estatua de don Tancredo* (1934), en el que ironiza suavemente sobre "el rey del valor". El trágico sino del torero es cantado por FEDERICO GARCIA LORCA en *Llanto por Ignacio Sánchez Mejías* (1935) y por RAFAEL ALBERTI, en *Verte y no verte* (1934). Alberti también escribió *Suma taurina* (1963). MIGUEL HERNANDEZ, en *El rayo que no cesa* (1936), expresa un sentimiento lleno de simbolismo en dos poemas, "El toro sabe el fin de la corrida" y "El toro ha nacido para el luto". El mismo año, 1936, AGUSTIN DE FOXA publica los poemas *El toro, la muerte y el agua*. RAFAEL MORALES edita *Poemas del Toro* (1943). RAFAEL GARCIA SERRANO escribe *Los toros de Iberia. Seis historias de toros* (1945), y en tono humorístico WENCESLAO FERNANDEZ FLOREZ relata *El toro, el torero y el gato* (1946). En 1947, ALFREDO MARQUERIE publica *El torero y su sombra*. MARIANO TUDELA, en *El torerillo de invierno* (1951), expone la peripecia de los aspirantes a toreros de renombre. *La última corrida* (1958), de ELENA QUIROGA, plasma la soledad del hombre-torero aunque alcance el triunfo. También merecen consideración los hombres que se mueven en torno a la lidia, como *Blanquito, peón de brega* (1958), de JORGE

CELA TRULOCK. VICENTE MARRERO escribe el libro de poemas *Picasso y el toro*. *Los clarines del miedo* (1958), de ANGEL M.ª DE LERA, es la trágica historia de dos novilleros que nunca llegarán a ser toreros. *La cornada* (1959), de ALFONSO SASTRE, representa la metáfora del torero dominado por el apoderado, símbolo de otras opresiones. *Caballo de pica* (1961), de IGNACIO ALDECOA, describe el miedo y el fracaso de un novillero que muere trágicamente en una juerga. GERARDO DIEGO edita en 1963 *La suerte o la Muerte*. *Poema del toreo*, composiciones sobre poesía taurina escritas entre 1926-1963. El mundo del toreo aparece en *El canto de la gallina* (1970) de RAMON SOLIS. La obra de teatro de PALOMA PEDRERO, *Invierno de luna alegre* (1989) refiere los amores imposibles entre un antiguo torero fracasado y una joven pasota.

* * *

R. MONTESINOS ha editado una antología anotada de *poesía taurina contemporánea* (1961). Para la profundización de este tema es imprescindible la obra de JOSE M.ª COSSIO, *Los toros. Tratado técnico e histórico*, vol. VII (1943-61). Otros estudios: G. CORROCHANO, *Cuando suena el clarín* (1966). E. NOEL, *Escritos antitaurinos* (1967). V. ZABALA, *La ley de la fiesta* (1971). A. ELORZA, *Pan y toros y otros papeles sediciosos* (1971). R. CAMBRIA, *Los toros: Tema polémico en el ensayo español del siglo XX* (1975). E. SALABERT, *Toros en la literatura contemporánea*. P. LAIN ENTRALGO, "La esencia del toreo", en *En este país* (1986). E. TIERNO GALVAN, *Los toros, acontecimiento nacional* (1988). E. GIL CALVO, *Función de toros* (1989).

59. VEJEZ

La vejez es el último período de la vida del hombre. La etapa en la que confluyen una serie de estados de ánimo, de situaciones sociales, que van desde el prestigio social del anciano en determinadas épocas, hasta el abandono más o menos solapado del mundo contemporáneo. La sabiduría y experiencia, el cansancio y el sufrimiento, el autoritarismo y la rigidez, la nostalgia y el despego, la soledad, pueden ser algunas de las notas que caracterizan el tiempo final de la vida del hombre. La edad en la que el ser humano se aproxima a la ancianidad ha ido variando a lo largo de la historia, según las expectativas de vida van siendo mayores, por lo que los años no serán un punto de referencia.

BALTASAR DE ALCAZAR reflexiona sobre la fugacidad de la vida en *Modo de vivir en la vejez* (fin siglo XVI, publ. póst.), "ser vieja la casa es esto, veo que se va cayendo; voyle puntales poniendo, porque no caiga tan presto". RODRIGO DE COTA plantea una controversia entre un viejo y el amor en *Diálogo entre el amor y un caballero viejo* (1569), el anciano acaba cediendo a las solicitudes del amor que reanima su cansado vivir, para acabar burlándose de sus muchos años. Es curioso que don Alonso Quijano, en *El Quijote* (1604, 1615) de MIGUEL DE CERVANTES, emprende precisamente sus aventuras de caballero andante cuando comienza a declinar su vida. FRANCISCO DE QUEVEDO, recogiendo el pensamiento Barroco, se queja en los *Sonetos* (1.ª mitad siglo XVII), del dolor y soledad de la vejez. En *El viejo y la niña* (1790), LEANDRO FER-

227

NANDEZ DE MORATIN reconviene y satiriza los matrimonios de conveniencia, mostrando la ridícula actitud del viejo don Roque casado con la jovencita Isabel. MANUEL BRETON DE LOS HERREROS esboza en tono menor la caricatura de una vieja enamorada en *A la vejez viruelas* (1824). En *El diablo mundo* (1840), JOSE DE ESPRONCEDA plantea la postura de rechazo del hombre ante la vejez: un anciano se convierte en un joven lleno de vigor mediante el fantasma de la Muerte y la resurrección que le ofrece la Vida. En *Tristana* (1892), de BENITO PEREZ GALDOS, don Juan López Garrido, don Lope, es un sesentón cínico y presuntuoso que seduce a su joven pupila, Tristana. En la novela dialogada *El abuelo* (1897), Galdós presenta al conde de Albrit, don Rodrigo Arista Potestad, generoso y noble, que consigue triunfar sobre sus propios prejuicios. La *Sonata de invierno* (1905), de RAMON DEL VALLE INCLAN, es el relato crepuscular del irresistible Marqués de Bradomín, melancólico y amargo. Max Estrella, en *Luces de Bohemia* (1920), del mismo autor, asiste enfermo y cansado a la decadencia de su propio mundo. En *Nada* (1945), de CARMEN LAFORET, la abuela trata de hacer componendas en el ambiente opresivo de la casa. ALEJANDRO CASONA, en la obra de teatro *Los árboles mueren de pie* (1949), presenta a un anciano matrimonio: la abuela, fuerte y dulce se deja engañar sobre la situación de su nieto. MIGUEL DELIBES en *La hoja roja* (1959) expone la difícil situación del jubilado en la sociedad contemporánea. En *Si te dicen que caí* (1973 corregida en 1989), de JUAN MARSE, la vejez es un elemento del retrato amargo de la posguerra. Una mujer de sesenta años es la protagonista de *La función Delta* (1981), de ROSA MONTERO, incapaz de vivir sola, rememora su pasado con la muerte como telón de fondo. *La sonrisa etrusca* (1985), de JOSE LUIS SAMPEDRO, expone la actitud de Bruno ante el paso del tiempo y la proximidad de la muerte: la ternura transforma sus últimos días. JENARO TALENS, en el libro de poemas *El sueño del origen y la muerte* (1988), expresa la nostalgia de la niñez al sentir que se aproxima la vejez.

228

60. VIAJES

La literatura de viajes ha atraído siempre a autores y lectores. Viajes reales llevados a cabo por el gusto del descubrimiento, el deseo de aventura o de evasión. Relatos en los que el escritor describe el mundo que aparece ante sus ojos, las costumbres y cultura de la región que visita, y comunica, a la vez, sus propias experiencias. Desde los arriesgados viajes medievales, pasando por el afán viajero de los ilustrados, hasta las narraciones de los años sesenta, se puede decir que existe una amplia muestra de las andanzas de los españoles, no sólo por España, sino también allende las fronteras.

RUY GONZALEZ DE CLAVIJO forma parte de la embajada de Enrique III, rey de Castilla, al gran Tamerlán de Persia, fruto de este viaje es la *Historia del gran Tamerlán* (1406-1412, publ. 1582), en la que describe las ciudades por donde pasa y las costumbres orientales. PERO TAFUR fue un caballero de la corte de Juan II de Castilla que pensaba que los nobles debían emprender aventuras; así lo hizo él, que viajó por Europa y embarcó hacia Medio Oriente, dejando como testimonio de ello *Andanças e viajes de Pero Tafur por diversas partes del mundo* (1435-39). Aunque no está basado en experiencias oculares, el *Viaje a Turquía* (1554), de ANDRES LAGUNA, recoge datos muy interesantes. La obra de DIEGO GALAN DE ESCOBAR, *Cautiverio y trabajos* (princ. siglo XVII, impr. 1913), es autobiográfica; el protagonista se escapa de casa a los catorce años para ver mundo. Apresado en Argel, acompaña a varios amos en sus viajes y llega hasta conocer

Constantinopla. El deseo de saber, la curiosidad intelectual de los ilustrados del siglo XVIII llevó a muchos de ellos a observar la realidad de España y a dejarla consignada en escritos o en cartas a los amigos, como DIONISIO ALCALA GALIANO, fray AGUSTIN ABAD Y LASSIERRA, JOSE DE ANDIA Y VARELA, JOSE DE ARCE, FELIX AZARA Y PERERA, LEANDRO FERNANDEZ DE MORATIN, DOMINGO BADIA LEBLICH "Ali-bey-al-Abbasi", y tantos otros. Citaremos las obras más al alcance. Fray MARTIN SARMIENTO escribe *Viaje a Galicia* (1754-1755). ANTONIO PONZ cuenta con una extensa obra, *Viaje a España*, 18 vols. (1772-1794), en la que ofrece amplia información histórica y artística. Viajero infatigable, deja también la reflexión sobre lo que contempla en Europa en *Viaje fuera de España*. GASPAR MELCHOR DE JOVELLANOS, en los *Diarios* y en las nueve *Cartas a don Antonio Ponz* (a partir de 1782), a la vuelta de cada uno de sus viajes, expone la situación en la que se encuentran los pueblos y el campo español, desde Extremadura hasta Asturias. ENRIQUE GIL Y CARRASCO hace la crónica de un viaje a Berlín en *El diario de un viaje* (1844-46). PEDRO ANTONIO DE ALARCON, en *De Madrid a Nápoles* (1861), relata su viaje a través de Francia, Suiza y, sobre todo, Italia. Años después escribirá *La Alpujarra* (1873) y *Viajes por España* (1883). MIGUEL DE UNAMUNO, en *Por tierras de Portugal y de España* (1911) y en *Andanzas y visiones españolas* (1922), describe no sólo el paisaje que aparece ante sus ojos, sino también el vivir cotidiano de las gentes. CIRO BAYO da las impresiones de sus viajes en *Por la América desconocida* (1920). VICENTE BLASCO IBAÑEZ emprende en 1923 la *Vuelta al mundo de un novelista*, 3 vols. (1927), y al final descubre que "todos los hombres son los mismos". JOSE GARCIA MERCADAL cuenta con tres obras, *España vista por los extranjeros* (1917-21), *Entre Tajo y Miño* (1923) y *Zig-zag por tierras de España y Francia* (1927). FEDERICO GARCIA SANCHIZ publica *El viaje a España*

(1929) y recorre la "Castilla del Cid" en *Duero abajo* (1940). CAMILO JOSE CELA inicia con *Viaje a la Alcarria* (1948) sus andanzas y subsiguientes libros de viaje, que continuará con *Del Miño al Bidasoa* (1952), *Judíos, moros y cristianos. Notas de un vagabundeaje por Avila, Segovia y sus tierras* (1956), *Primer viaje andaluz. Notas de un vagabundeaje por Jaén, Córdoba, Sevilla, Huelva y sus tierras* (1959), *Viaje al Pirineo de Lérida* (1965) y, cerrando el ciclo, *Nuevo viaje a la Alcarria* (1986). VICTOR DE LA SERNA, en *Nuevo viaje de España* (1955), describe la ruta de los foramontanos. VICENTE ROMERO y FERNANDO FERNANDEZ SANZ pretenden reflejar "las costumbres, la historia, la geografía" del *Valle de Alcudia* (1957), en su viaje de Puertollano a Alamilla. JOSE LUIS CASTILLO PUCHE describe *América de cabo a rabo* (1959). Los años sesenta son muy fecundos en las narraciones sobre experiencias viajeras como alternativa a la literatura realista social de denuncia, realizados en muchas ocasiones en colaboración. JUAN GOYTISOLO escribe sobre las zonas deprimidas de Andalucía en *Campos de Níjar* (1959) y *La Chanca* (1962). ANTONIO FERRES y ARMANDO LOPEZ SALINAS hacen un recorrido por la región cacereña en *Caminando por las Hurdes* (1960), recogiendo datos sociológicos. Antonio Ferres, en *Tierra de olivos* (1964), por Córdoba, Jaén y Granada, crea un personaje, viajante de comercio, que en su relación con la gente obtiene información y datos sobre la situación en que se encuentran. López Salinas, en esta ocasión en colaboración con ALFONSO GROSSO, describe el viaje desde Sevilla a Sanlúcar de Barrameda en *Por el río abajo* (1966) y con JAVIER ALFAYA, *Viaje al país gallego* (1967). Alfonso Grosso y MANUEL BARRIOS cuentan la experiencia de su viaje *A Poniente desde el estrecho* y Grosso, esta vez con Juan Goytisolo, relata *Hacia Morella*. RAMON CARNICER da una visión testimonial y humanística de las Hurdes leonesas en *Donde las Hurdes se llaman Cabrera* (1964). JORGE FE-

RRER-VIDAL TURULL, en estructura novelesca, presenta tres pueblos de la montaña santanderina *Historias de mis valles* (1964), y en *Viaje por la Sierra de Ayllón* (1970) da testimonio de su recorrido a pie por los pueblos y aldeas de la región segoviana. JOSE ANTONIO VIZCAINO realiza el camino de Santiago en *De Roncesvalles a Compostela* (1965) y describe La Mancha en *Caminos de La Mancha* (1966), sin contenido social. M.ª ANGELES ARAZO, en *Gente del Maestrazgo* (1968), comenta la situación de los pueblos de la región. VICTOR CHAMORRO denuncia el penoso estado de la zona en *Las Hurdes: tierra sin tierra* (1968). FRANCISCO CANDEL, en *Viaje al rincón de Ademuz* (1968), describe con tono testimonial el itinerario de Teruel a Ademuz, volviendo por Valencia para llegar a Barcelona. JESUS TORBADO, en *Tierra mal bautizada* (1969), hace un recorrido por la Tierra de Campos, empezando y terminando en Sahagún. JUAN ANTONIO PEREZ MATEOS vuelve en *Las Hurdes, clamor de piedra* (1972) a dar testimonio de la incultura y pobreza de la región. Y ya sin ánimo de testimonio social aparece la obra de RUBEN CABA, *Salida con Juan Ruiz a probar la Sierra* (1976).

* * *

Los estudios sobre este tema referidos al siglo XVIII: J. DE LA PUENTE, *La visión de la realidad española en los viajes de Antonio Ponz* (1968). G. GOMEZ DE LA SERNA, *Los viajeros de la Ilustración* (1974). Sobre el siglo XX se puede consultar S. SANZ VILLANUEVA, "Los libros de viajes", en *Historia de la novela social española*, vol. II (1980).

232

INDICE DE AUTORES Y OBRAS*

---

* Para evitar confusión hemos colocado a la derecha de las obras las páginas en que éstas aparecen citadas, y a la izquierda el número del tema a que pertenecen.

236

237

239

242

CALVO SOTELO, Joaquín (1905)

CALZADA, Bernardo María (1750-1825)

CAMBA, Francisco (1884-1947)

CAMBA, Julio (1884-1962)

CAMINO, León Felipe [ver LEÓN FELIPE]

CAMPOAMOR, Ramón de (1817-1901)

CAMPOMANES [ver RODRIGO CAMPOMANES, Pedro]

257

259

261

262

263

268

273

275

276

278

285

288

289

302

305